Larousse
de la
conjugación

Repartese el verbo en modos. el modo en tiempos.
el tiempo en numeros. el numero en personas. El
modo enel verbo:que Quintiliano llama calidad : es
aquello por lo cual se distinguen ciertas maneras de si
gnificado enel verbo. Estos son cinco Indicativo
imperatigo. optativo.subjunctivo.infinitivo.

Explicación de una lección
por Elio Antonio de **Nebrija**
y párrafo de la primera
Gramática Castellana,
publicada por él en Salamanca en el año 1492
(Biblioteca Nacional. Madrid.)

Larousse

de la

conjugación

por

RAMÓN Y FERNANDO GARCÍA-PELAYO Y GROSS
MICHELINE DURAND

EDICIONES
Larousse

MARSELLA 53, MÉXICO 06600, D.F.

Paseo de Gracia 120   17, rue du Montparnasse   Valentín Gómez 3530
Barcelona 08008   75298 París   Cedex 06   Buenos Aires R.13

© 1982, Librairie Larousse
"D.R." © 1982, por Ediciones Larousse, S.A. de C.V.
                    Marsella núm. 53, México 06600, D.F.

PRIMERA EDICIÓN.— Decimoprimera reimpresión

ISBN 2-03-490043-X (Librairie Larousse)
ISBN 968-6042-27-X (Ediciones Larousse)

Impreso en México — Printed in Mexico

PRÓLOGO

La supuesta facilidad de la gramática española no impide que muchos usuarios o aprendices de nuestra lengua encuentren con cierta frecuencia dificultades en el manejo de los verbos. Esta observación nos ha llevado a publicar el *Larousse de la conjugación*, libro de pequeño tamaño, pero rico en contenido, donde se trata la flexión verbal en toda su extensión. El objetivo esencial de esta obra consiste en servir de auxilio a la memoria, cuando ésta se ve asaltada por las dudas, constituyendo así un complemento de las gramáticas y diccionarios existentes en los cuales la conjugación no figura con todo el detalle requerido.

Dicho compendio contiene los conceptos básicos indispensables en la materia, haciendo hincapié en lo relativo a los tiempos, varios cuadros con los paradigmas de verbos regulares è irregulares y, finalmente, una lista superior a 10 000 verbos que van seguidos, cada uno, de un número correspondiente al modelo de su conjugación y que abarca no sólo los reseñados en el Diccionario de la Real Academia Española, sino también otros muchos corrientemente empleados, pero sin respaldo oficial, así como los pertenecientes a la terminología propia de ciencias y técnicas que han alcanzado gran desarrollo en los tiempos actuales.

En las últimas páginas figuran unos apéndices dedicados a los verbos defectivos, a los unipersonales y a aquellos que tienen participios irregulares. Se dan también unas nociones sumarias acerca de los tratamientos, con una referencia particular al voseo, modalidad bastante difundida por algunas áreas del continente americano.

Abrigamos la esperanza de que este *Larousse de la conjugación*, por su carácter didáctico, sea de gran utilidad, tanto en centros docentes como fuera de ellos, gracias a la contribución que aporta al empleo correcto de los distintos tiempos y personas del verbo, parte fundamental de la oración.

RAMÓN GARCÍA-PELAYO Y GROSS

ÍNDICE

EL VERBO

El *verbo* es la parte de la oración que expresa esencia, estado, acción o pasión, indicando generalmente el tiempo y la persona. Así, al decir *leo* o *leen* queremos significar que soy *yo* o son *ellos* quienes realizan la acción de *leer* en el momento presente. Análogas consideraciones pueden hacerse si la acción tuvo lugar en el pasado *(leía, leían, leí, leyeron)* o si se espera que ocurra en el futuro *(leeré, leeremos)*.

El verbo expresa no sólo las tres posibilidades temporales (presente, pasado y futuro), sino que también indica si la acción está acabada o no. La oración gramatical necesita la existencia de un verbo, expreso o tácito, lo cual demuestra el papel fundamental que desempeña esta parte del discurso.

Clases de verbos según su significación

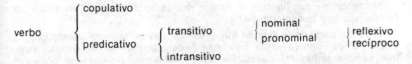

1. Verbo copulativo es el que sirve de lazo de unión entre el sujeto y el predicado nominal de una oración *(Juan ES colombiano ; las aves SON animales vertebrados)*.

2. Verbo predicativo es el que encierra la idea de un *predicado* (calidad y atributo) y siempre expresa un estado, acción o pasión. Se dividen estos verbos en dos grandes grupos : transitivos e intransitivos.

3. En el **verbo transitivo** la acción recae sobre una persona o cosa, expresa o tácita. El objeto que recibe directamente la acción se denomina *complemento directo (Juan leyó la CARTA)*. Para conocer si un verbo es transitivo hay que preguntarse *qué* o *qué cosa* es el objeto de la acción. Por ejemplo, *amar* es un verbo transitivo ; en efecto, a la pregunta ¿ *qué se ama ?* cabe responder *la Naturaleza, a Dios, a los hijos*, etc.

Dentro de los transitivos se incluyen los *nominales*, cuyo complemento directo es un nombre, y los *pronominales*, en los que esta función corresponde a un pronombre. Estos últimos se subdividen a su vez en reflexivos y recíprocos (ver 5 y 6).

4. En el **verbo intransitivo** la acción permanece en el sujeto y resulta completa sin necesidad de un objeto directo *(Kant NACIÓ, VIVIÓ y MURIÓ en Königsberg ; María ENMUDECIÓ de terror)*. Muchos verbos se usan como transitivos o como intransitivos, según los casos. Compárense las oraciones *el atleta corre* y *el atleta corre los cien metros lisos*.

Dentro de los intransitivos hay algunos verbos, escasos en castellano, llamados *verbos neutros* o *de estado*. Expresan éstos una situación duradera en el sujeto *(estar)* o bien que éste no interviene en la acción o sólo lo hace de modo poco activo *(vivir, existir, yacer, quedar, etc.)*.

5. Verbo reflexivo es aquel cuya acción recae o se refleja sobre el mismo sujetó que la realiza *(yo* ME *lavo).* El objeto se expresa mediante un pronombre personal *(me, te, se, nos, os, se).* Existen verbos exclusivamente reflexivos *(atreverse, arrepentirse, quejarse,* etc.), mientras que otros muchos se utilizan también como verbos no reflexivos *(lavar* y *lavarse; dormir* y *dormirse,* etc.).

6. Verbo recíproco es el que tiene por sujeto agente a dos o más personas, cosas o animales que ejercen una acción sobre los otros, al mismo tiempo que la reciben de ellos *(Pedro y yo nos saludamos; los amigos se tutean).* A veces, para reforzar el matiz de reciprocidad, es necesario añadir ciertas locuciones ya que estos verbos se construyen, como los reflexivos, con los pronombres *nos, os* y *se.* Véanse los siguientes ejemplos : *los hermanos se ayudaban* ENTRE SÍ ; *los dos rivales se insultaron* RECÍPROCAMENTE.

Conjugación

Se denomina *conjugación* o *flexión* del verbo al conjunto de todas las formas que éste puede adoptar.

El verbo, parte de la oración que presenta más variaciones, consta de una *raíz* o *radical,* generalmente invariable, y de una *terminación* o *desinencia,* que cambia según los casos. En *am-o, am-amos, am-aban* se observan claramente estas dos secciones. Las modificaciones que el verbo sufre en su estructura denotan sus diferentes voces, modos, tiempos, números y personas, es decir, los denominados *accidentes.* Cabe considerar asimismo el *aspecto* o modo de presentarse la acción verbal.

1. La **voz** de un verbo indica si el sujeto es el que realiza la acción expresada o si es el que la recibe. En el primer caso se trata de la *voz activa (yo* AMO) y en el segundo de la *voz pasiva (yo* SOY AMADO).

La voz pasiva se construye con el verbo *ser* y, a veces, con *estar,* que por eso reciben el nombre de *auxiliares,* seguidos del participio del verbo que se conjuga. En castellano, en contraste con otras lenguas, se usa la forma activa más que la pasiva. La *voz pasiva refleja e impersonal,* cuyo empleo es cada vez más frecuente en sustitución de la construcción *ser* + *participio,* se forma con el verbo en 3ª persona, precedido de la partícula *se,* y el sujeto paciente ha de concordar con el verbo (SE *prohibe fumar,* SE *venden pisos).*

2. El **modo** verbal denota la actitud del hablante con respecto a lo que dice.

El *modo indicativo* enuncia el hecho de manera real y objetiva *(Pedro* ESTUDIA *medicina en la Facultad de Buenos Aires).*

El *modo subjuntivo* indica un hecho como subordinado a otro verbo que exprese deseo, temor, voluntad, suposición, etc. *(quiero que* VENGAS ; *temo que* LLUEVA).

El *modo potencial* presenta un hecho no como real, sino como posible, casi siempre dependiente de una condición *(si trabajaras más,* GANARÍAS *más dinero).* Los gramáticos consideran actualmente el potencial como un tiempo más del indicativo, llamado *condicional,* y no como un modo.

El *modo imperativo* se utiliza para formular órdenes, expresar un ruego, hacer una petición o dar un consejo (VENID *a las doce;* AMA *al prójimo).*

Además de los modos estudiados anteriormente, existen en la conjugación otras formas llamadas *no personales* o *infinitas*, sin desinencias de número y persona, que son el *infinitivo*, considerado como la forma sustantiva del verbo (AMAR *a Dios*), el *participio*, que equivale a un adjetivo *(libro* EDITADO *en México)*, y el *gerundio*, con valor adverbial *(vino* CORRIENDO). El gran filólogo y gramático venezolano Andrés **Bello** (1781-1865) da a estas tres formas la denominación de *derivados verbales*.

3. El **tiempo** indica que la acción verbal se realiza en un momento *presente*, *pasado* (o *pretérito*) o *futuro*. Desde un punto de vista estructural, existen *tiempos simples*, formados por una sola palabra *(amo, amaremos)*, y compuestos, con dos o más *(he amado, habremos sido amados)*. Estos últimos, construidos con el auxiliar *haber* y el participio del verbo conjugado, añaden un aspecto perfectivo, es decir, expresan la acción como terminada.

Cada uno de los modos tratados en el apartado anterior contiene uno o varios tiempos, tal como se sintetiza en los siguientes cuadros, en los que se señalan conjuntamente la terminología de la Real Academia Española y la que propuso en el siglo XIX el gramático venezolano Andrés Bello, esta última muy extendida por los países americanos de lengua castellana.

Modos y tiempos

		Real Academia	Andrés Bello	Forma
Indicativo	tiempos simples	presente	presente	amo
		pret. imperfecto	copretérito	amaba
		pret. perfecto simple	pretérito	amé
		futuro	futuro	amaré
		condicional	pospretérito	amaría
	tiempos compuestos	pret. perfecto compuesto	antepresente	he amado
		pret. pluscuamperfecto	antecopretérito	había amado
		pret. anterior	antepretérito	hube amado
		futuro perfecto	antefuturo	habré amado
		condicional perfecto	antepospretérito	habría amado
Subjuntivo	tiempos simples	presente	presente	ame
		pret. imperfecto	pretérito	amara o amase
		futuro	futuro	amare
	tiempos compuestos	pret. perfecto	antepresente	haya amado
		pret. pluscuamperfecto	antepretérito	hubiera o hubiese amado
		futuro perfecto	antefuturo	hubiere amado
Imperativo	t. simple	presente	presente	ama, amad

9

Formas	infinitivo	simple	amar
no		compuesto	haber amado
personales	gerundio	simple	amando
		compuesto	habiendo amado
	participio		amado

4. Cada tiempo del verbo se compone de seis formas que corresponden a las tres **personas** gramaticales del **número** singular *(yo, tú, él)* y a las tres del plural *(nosotros, vosotros, ellos)*.

Estas tres personas indican quien o quienes realizan la acción del verbo. La primera *(yo, nosotros, nosotras)* señala quien o quienes hablan *(yo como temprano)*, la segunda *(tú, vosotros, vosotras)* se refiere al interlocutor o a los interlocutores de la primera persona *(vosotros tenéis que llevar a cabo el trabajo que os han encomendado)* y la tercera *(él, ellos, ellas)* designa a aquellas personas de quienes se habla *(ellos se reían descaradamente)*.

La flexión verbal castellana, al tener las desinencias de número y persona muy diferentes, hace en general innecesaria, salvo para dar mayor énfasis, la utilización de los pronombres personales *(yo, tú, nosotros, etc.)* antes de la forma verbal propiamente dicha.

Salvo en el pretérito perfecto simple, llamado, pretérito por Andrés Bello, las desinencias de número y persona son las siguientes :

	sing.	*pl.*
1ª pers.	- vocal	- mos
2ª pers.	- s	- is
3ª pers.	- vocal	- n

Las terminaciones del pretérito perfecto simple (pretérito) difieren bastante de las anteriores :

	sing.	*pl.*
1ª pers.	- vocal	- mos
2ª pers.	- ste	- steis
3ª pers.	- vocal	- ron

5. El **aspecto** de la acción verbal se refiere a la manera de considerar ésta, según que el significado propio del verbo denote un carácter instantáneo *(disparar, morir)*, durativo *(dormir)*, reiterativo *(machacar)*, perfectivo *(nacer)* o imperfectivo *(correr)*.

La utilización del tiempo verbal es asimismo esencial para la expresión del aspecto. Debe señalarse que todos los tiempos compuestos, más el pretérito perfecto simple, son perfectivos *(hemos comido ; ayer hablé)*. Los demás tiempos simples son, en cambio, de carácter imperfectivo *(yo leo ; Juan trabajaba en la mina)*. Cuando un verbo perfectivo de carácter instantáneo se presenta en tiempo imperfectivo adquiere un aspecto reiterativo *(el soldado disparaba tras la trinchera)*.

Ciertas perífrasis y locuciones verbales sirven para expresar diversos aspectos. Así, *ir a + infinitivo* denota un aspecto incoativo, es decir, indica el principio de la acción *(iré a comer dentro de poco a casa de mi hermana)*. Ir o *estar + gerundio* es la construcción usada para reflejar un aspecto progresivo o de duración *(le atropelló un automóvil cuando iba saliendo de la oficina ; al no conciliar el sueño, estuvo leyendo la noche entera)*.

División de los verbos según su conjugación

Los verbos, según la conjugación que tengan, se dividen en regulares, irregulares, defectivos y unipersonales. Existen también los auxiliares, llamados así por la función que desempeñan en la formación de los tiempos compuestos y en la voz pasiva.

1. Verbos regulares son aquellos que, en cualquier tiempo o persona, no alteran la raíz o las desinencias propias del modelo a que pertenecen.

La conjugación española se divide en tres grupos, según que el infinitivo termine en -*ar*, -*er* o -*ir* (1ª, 2ª y 3ª conjugación). Más adelante se expondrán sistemáticamente todas las flexiones verbales de los paradigmas (modelos) de cada una de las conjugaciones : *amar, temer, partir.*

2. Verbos irregulares son aquellos en cuya conjugación aparecen alteraciones en la terminación, en la raíz o en ambas a la vez, si se comparan con los paradigmas de la conjugación a la que pertenecen. Así, la 1ª persona del singular del verbo *jugar* es JUEGO, en lugar de *jugo*, del verbo *salir* es SALGO, en lugar de *salo*, del verbo *ir* es VOY, etc.

Las irregularidades verbales, como se señalará más adelante en una serie de modelos, son de diversos tipos. En la última parte de este libro figura una lista alfabética de verbos castellanos, ya sean regulares o irregulares, seguidos de un número que remite al modelo correspondiente.

3. Verbos defectivos son los que presentan un cuadro flexivo incompleto, es decir, aquellos que no se emplean en todas las formas de la conjugación. Esto se debe al propio significado del verbo, que haría ilógico el uso de algunas formas o personas. Así, verbos como *atañer, acaecer, acontecer* o *concernir* sólo se conjugan en la tercera persona. Otras veces las limitaciones de uso obedecen a razones de índole fonética, ya que ciertas formas producirían un sonido desagradable (cacofonía). Éste es el caso de los verbos *agredir* y *abolir*, sólo usados en las formas en que la vocal *i* entra en la desinencia (*agredimos, agredía ; abolimos, abolía*, etc.).

4. Verbos unipersonales son los que solamente pueden usarse en el infinitivo y en la tercera persona del singular de todos los tiempos. Corresponden a fenómenos meteorológicos o de la naturaleza *(ayer llovió ; hoy ha nevado)*. No obstante, sacados de su significado habitual, estos verbos pueden llevar sujetos y dejan de ser unipersonales *(amanecerán días de gloria ; anochecí en Buenos Aires)*.

Otros verbos, pero sólo en casos muy especiales, pueden considerarse unipersonales. Citemos como ejemplos los de « ser », construido con expresiones de tiempo, salvo las horas *(es tarde ; es temprano)*, « haber », si denota existencia *(había una gran multitud en el estadio)* o un hecho *(hubo peleas aquel día)*, y « hacer », cuando expresa una contingencia climática *(hizo mucho calor)* o el paso del tiempo *(hace muchos años que no lo veo)*.

5. Verbos auxiliares son los que sirven para la formación de los tiempos compuestos y de la voz pasiva. *Haber, ser* y *estar* son los más usados. No obstante, existen algunos otros verbos que, al encabezar una perífrasis verbal, pierden totalmente su significado propio y se convierten en verdaderos auxiliares. En los ejemplos siguientes : *vamos a trabajar seriamente, te lo tengo prometido, hace tiempo que vengo sospechando este hurto,* los verbos *ir, tener* y *venir* están lejos de su significado habitual y el simple análisis nos lleva a considerarlos como auxiliares.

Significado de los tiempos

El momento en que se realiza la acción verbal viene indicado por los tiempos, que pueden referirse al *presente, pretérito* o *futuro.*

Existen tiempos *absolutos,* en los que la acción se expresa en uno de esos momentos citados (presente, pretérito, futuro), y *relativos,* en los que se tiene en cuenta la relación de un hecho con otro, tomándose en este caso como referencia no el presente de la persona que habla, sino otro tiempo que aparezca en el discurso. También se habla de tiempos *perfectos,* en los que la acción se presenta como acabada, e *imperfectos,* en los que ésta continúa produciéndose.

A continuación se reseña el uso más corriente de los tiempos verbales castellanos y los diversos matices que éstos introducen en la oración.

MODO INDICATIVO

1. Presente. Es un tiempo absoluto que expresa coincidencia entre la acción y el momento en que se habla *(Juan lee la prensa).* Además de este uso fundamental, el presente de indicativo se emplea de diversos modos que se señalan seguidamente.

El *presente habitual* se refiere a actos discontinuos que pueden producirse o no en el momento de hablar, pero que han ocurrido antes y que lo harán después *(estudio medicina).*

El *presente histórico* se usa para la narración de hechos pasados, cuando el contexto no deja lugar a dudas acerca del momento en que tuvo lugar la acción *(el Imperio Romano, según la mayoría de los historiadores, desaparece en el año 395).* Este empleo es muy frecuente ya que proporciona extraordinaria vivacidad al relato.

El *presente con valor de futuro* se suele utilizar cuando se tiene la seguridad o la intención de llevar a cabo la acción verbal *(mañana salgo para Londres con objeto de ver a unos amigos).*

El *presente de mandato* hace las veces de imperativo *(mañana vas a la librería y compras un diccionario).*

El presente de indicativo es también el tiempo adecuado para enunciar las verdades intemporales *(el triángulo es un polígono de tres lados).*

2. Pretérito imperfecto. Es un tiempo relativo que expresa una acción pasada cuyo principio y fin no se tienen en cuenta. Posee una gran amplitud temporal y resulta por tanto muy útil en narraciones *(cuando amanecía, los pájaros empezaban a cantar).* La denominación de *copretérito,* debida a Andrés Bello, es muy acertada ya que este tiempo desempeña las mismas funciones que el presente, pero en un momento pasado (pretérito coexistente) : *cuando terminó la guerra, las madres lloraban de alegría.*

El pretérito imperfecto se utiliza también para moderar cortésmente el rigor de las peticiones (*quería pedirte un favor*) y, en el habla coloquial, sustituye con frecuencia al condicional en las oraciones principales colocadas después de subordinadas que enuncian una hipótesis (*si me tocara la lotería, me iba de viaje a París*, en lugar de *iría*).

3. Pretérito perfecto simple y pretérito perfecto compuesto.

Son tiempos del pasado que conviene estudiar conjuntamente, por su carácter absoluto y su aspecto perfectivo. La diferencia fundamental existente entre ambos se halla en relación con la unidad de tiempo que se toma como referencia. El pretérito perfecto simple, llamado antes *pretérito indefinido*, se refiere a una unidad de tiempo ya concluida para el hablante (*ayer vi a Juan*) y el compuesto expresa en cambio una acción terminada en un período de tiempo que todavía es presente para el que formula la idea (*este año ha llovido mucho*). Se suelen confundir con bastante frecuencia estos matices y se hace un uso indistinto de estos dos tiempos verbales. A título orientativo, se recomienda el empleo del compuesto para las acciones que acaban de terminar (*he sentido mucho la muerte de tu padre*) y el simple cuando se refiere a una acción más lejana en el pasado (*sentí mucho la muerte de tu padre el verano pasado*). No obstante, los diferentes usos regionales en el amplio mundo de habla española han contribuido a invalidar prácticamente esta normativa. Obsérvese cuán frecuentemente los presentadores de televisión lanzan al aire expresiones del siguiente tenor : *vieron ustedes la retransmisión de la final de la Copa del Mundo*.

4. Pretérito pluscuamperfecto.
Es un tiempo relativo que expresa la anterioridad de un hecho pasado con respecto a otro también pasado (*cuando llegué ya había muerto*).

5. Pretérito anterior.
Es un tiempo relativo que expresa un hecho inmediatamente anterior a otro (*apenas hubo sonado el disparo, cuando llegó la policía*). Se diferencia del pluscuamperfecto en la proximidad de los hechos. Este tiempo verbal, que va siempre precedido de adverbios de tiempo (apenas, después que, tan pronto, en cuanto que, cuando, etc.), se usa muy poco y se suele sustituir por el pretérito perfecto simple o por el pluscuamperfecto, aunque esto acarree cierta pérdida de matices.

6. Futuro imperfecto.
Es un tiempo absoluto que expresa una acción venidera (*vendré temprano mañana*).

Se utiliza también, en sustitución del imperativo, en las fórmulas de ruego y mandato (*amarás a Dios sobre todas las cosas*) e incluso para denotar una probabilidad (*supongo que sabrás la lección*).

7. Futuro perfecto.
Es un tiempo relativo que expresa una acción venidera y acabada anterior a otra también futura (*cuando vengas a verle ya habrá terminado el trabajo*).

El *futuro de probabilidad* se refiere a una acción que se supone ha ocurrido en el pasado (*pienso que ya habrá terminado la función*).

8. Condicional.
Es un tiempo relativo que expresa una acción futura en relación con el pasado (*la radio anunció que llovería*). El término de la acción queda totalmente indeterminado ya que, si se considera desde el momento

presente, dicha acción ha podido completarse en el pasado, puede estar realizándose en el presente o tener lugar en el futuro.

Dado el carácter futuro de este tiempo, la acción expresada es siempre eventual o hipotética, por lo que recibe también el nombre de *futuro hipotético*. Su empleo más característico es precisamente en la oración principal después de una subordinada condicional *(si vinieras pronto, iríamos de paseo)*.

El condicional sirve además para expresar la probabilidad en el pasado *(serían las cuatro cuando se produjo el asesinato)* y en el futuro *(no sería raro que mañana lloviera)*. Este tiempo se usa asimismo para emitir ruegos y hacer peticiones de cortesía por ser de talante menos severo que el pretérito imperfecto *(yo querría pedirte un favor)*.

9. Condicional perfecto. Es un tiempo relativo para expresar una acción futura en relación con un pasado que se considera punto de partida. La diferencia esencial con respecto al condicional simple consiste en que la acción se presenta como terminada *(me dijo que cuando yo viniera ya habría terminado completamente su trabajo)*.

Del mismo modo que el condicional simple, este tiempo verbal se utiliza en la oración principal después de una subordinada condicional *(si hubieras estudiado más, habrías aprobado)*. Se usa también para expresar la probabilidad, aunque sólo en el pasado *(habrían dado las diez)* y como fórmula de cortesía *(yo habría querido ser más generoso)*.

MODO SUBJUNTIVO

Las relaciones temporales entre las distintas formas verbales del subjuntivo, debido al carácter de irrealidad que encierra este modo, son menos claras que en el indicativo, y lo mismo ocurre con la correspondencia entre los tiempos de estos dos modos. El indicativo tiene diez tiempos y el subjuntivo sólo seis, prácticamente reducidos a cuatro por el escaso empleo de los futuros.

Todos los tiempos del subjuntivo son relativos, de tal manera que la complejidad es aun mayor y, a veces, las relaciones de anterioridad, coexistencia y posterioridad se revelan harto aleatorias. A pesar de todo, a continuación se describe someramente el uso de aquéllos.

1. Presente. Es un tiempo relativo y de aspecto imperfectivo que expresa indistintamente una acción presente o futura *(no creo que lo conozcas; dudo que vengan antes de dos meses)*.

Debido a la capacidad de este tiempo para denotar una acción futura, es muy frecuente el uso del mismo para construir oraciones simples dubitativas *(tal vez venga mañana)*, optativas *(¡ojalá apruebe el examen!)* y exhortativas *(¡marchemos francamente por la senda constitucional!)*. Sirve también para expresar mandatos, por lo que se utiliza para sustituir a las personas inexistentes en el imperativo, que sólo posee la segunda del singular y del plural *(venga usted temprano; amemos a la patria)*, y para la formulación negativa de un ruego o una orden *(no rompáis la unidad nacional*, en lugar de *no romped)*.

2. Pretérito imperfecto. Es un tiempo relativo e imperfectivo usado para referirse a una acción pasada, presente o futura *(me rogaron que cuidara las plantas)*. Se diferencia del presente en que este último no puede expresar una acción pretérita. Suele depender de otro verbo en modo indicativo y en tiempos

14

pretérito perfecto simple, pretérito imperfecto o condicional. Así, en el ejemplo anterior, el verbo principal podría haber sido *rogaban* o *rogarían*.

En las oraciones simples, el pretérito imperfecto de subjuntivo expresa, reforzados, los mismos matices (duda, deseo) que el presente (*quizá la mercancía resultara cara; ¡ojalá aprobara el examen!*).

3. Pretérito perfecto. Es un tiempo relativo y de aspecto perfectivo que expresa una acción acabada en un tiempo pasado o futuro. Suele depender de otro verbo en presente o en futuro de indicativo (*dudo que haya terminado; me alegraré de que lo haya terminado*).

4. Pretérito pluscuamperfecto. Es un tiempo relativo y perfectivo que expresa una acción pasada realizada en una unidad de tiempo ya terminada (*yo no sabía que hubieras terminado ya la carrera*). Corresponde al pluscuamperfecto de indicativo y al condicional compuesto.

5. Futuro y futuro perfecto. Son tiempos relativos que sirven para expresar una acción venidera posible. Han caído prácticamente en desuso y sólo se conservan en el lenguaje jurídico, habiéndose sustituido el primero en el habla corriente por los presentes de indicativo o de subjuntivo y el segundo por los pretéritos perfectos de indicativo o de subjuntivo. No obstante, persisten algunos dichos o proverbios antiguos en los que se utilizan aún estos tiempos (*donde quiera que fueres, haz lo que vieres*).

MODO IMPERATIVO

Presente. Es el único tiempo de este modo y sirve para expresar un mandato (*ve al mercado y compra fruta*). No posee más que dos formas propias, la segunda del singular (*acelera un poco el paso, por favor*) y la segunda del plural (*venid todos a comer a las dos en punto*) y las restantes ha de tomarlas del presente de subjuntivo (*tengan a bien presenciar el acto*). Ya se ha dicho como las órdenes formuladas en negativa han de recurrir también al presente de subjuntivo (*no rompáis la unidad nacional*, en vez de *romped*).

LA CONJUGACIÓN CASTELLANA

Como se ha indicado anteriormente, los verbos regulares castellanos pertenecen a tres tipos, según que la terminación del infinitivo sea -*ar*, -*er* o -*ir*. Antes de la conjugación de los tres modelos correspondientes figuran los cuadros de las formas pasiva y pronominal, así como los relativos a los auxiliares *haber* y *ser*, verbos irregulares usados el primero para formar los tiempos compuestos y el segundo para la voz pasiva. Tras estos cinco verbos aparecerá una serie de irregulares con características específicas y, a continuación, verbos que sufren modificaciones ortográficas o prosódicas, conjugados en su totalidad, los cuales sirven de modelo para todos los de la lista final cuyo número de referencia señala la conjugación que debe consultarse.

Las irregularidades verbales son en su conjunto el resultado de la acción de leyes fonéticas sobre todo el sistema de la lengua española. Conviene advertir que consideramos como irregularidades sólo aparentes a aquellas que no constituyen más que variantes puramente ortográficas. Así, *dirige* y *dirija; alzó alce; pago, pague; saco, saque,* etc.

Conjugación regular

Caracteres distintivos. El primer grupo de los verbos regulares, aquellos cuyo infinitivo termina en *-ar*, es sin duda el más numeroso de todos. Los verbos de nueva creación se adaptan a este paradigma, así como los que se forman por derivación mediante sufijo y terminan en *-ear (plantear), -ficar (plantificar), -izar (dramatizar)* o *-ntar (atragantar)*.

Las segunda y tercera conjugación presentan una estabilidad mucho más reducida que la primera, con frecuente vacilación entre las terminaciones *-er* e *-ir*, fenómeno que se viene produciendo desde los orígenes del castellano.

Si se considera el vocalismo de la raíz verbal, es decir la penúltima sílaba del infinitivo, puede afirmarse que son regulares, aunque algunos requieran una acentuación prosódica, los verbos de la primera conjugación cuya raíz tiene una de las vocales *a, i* o *u* (excepto *andar* y *jugar*), los que tienen diptongo en la penúltima sílaba del infinitivo (*peinar, defraudar, inquietar, enviudar*, etc.) y los que terminan en *-aar, ear, -iar, -oar* y *-uar*. También son verbos regulares los de la tercera conjugación con diptongo en la penúltima sílaba del infinitivo (*aplaudir, persuadir, reunir*, etc.).

Como ya señalamos, existen unos verbos regulares fonéticamente, pero que, por razones ortográficas, presentan una irregularidad aparente en el lenguaje escrito. En el cuadro siguiente se enumeran estas modificaciones gráficas y, después de la conjugación de los verbos verdaderamente irregulares, figura la de aquellos que pueden servir de modelo para los que sufren estas variaciones ortográficas o prosódicas en ciertos tiempos y personas :

Conjugación	Terminación	Transformación	Circunstancia	Ejemplo
Primera	-car -gar -zar	c → qu g → gu z → c	delante de *e* delante de *e* delante de *e*	sacar pagar cazar
Segunda	-cer -ger -eer	c → z g → j i → y	delante de *a, o* delante de *a, o* entre dos vocales y sin acento tónico	mecer proteger poseer
Tercera	-cir -gir -guir -quir	c → z g → j u desaparece qu → c	delante de *a, o* delante de *a, o* delante de *a, o* delante de *a, o*	zurcir dirigir distinguir delinquir

Acentuación de los verbos terminados en *-iar*. Los verbos cuyo infinitivo termina en *-iar* se subdividen en dos grupos, según que acentúen o no la *i* en las personas del singular y en la tercera del plural de los tres presentes (indicativo, subjuntivo e imperativo). Véase la diferencia en el acento prosódico entre las formas *guío* (primer grupo) y *alivio* (segundo grupo). El verbo *guiar* sirve de modelo para los verbos que sufren esta alteración prosódica y figura en el cuadro que lleva el número 75.

He aquí la lista de los principales verbos que se conjugan de acuerdo con este modelo :

aliar	desataviar	jipiar
amnistiar	desaviar	liar
ampliar	descarriar	litografiar
arriar	desconfiar	malcriar
ataviar	desliar	mecanografiar
averiar	desvariar	ortografiar
aviar	desviar	piar
biografiar	enfriar	pipiar
cablegrafiar	enviar	porfiar
calcografiar	espiar	radiografiar
caligrafiar	esquiar	recriar
calofriarse	estriar	resfriar
cartografiar	expiar	rociar
ciar	extasiarse	serigrafiar
cinematografiar	extraviar	taquigrafiar
confiar	fiar	telegrafiar
contrariar	fotografiar	tipografiar
criar	fotolitografiar	variar
chirriar	hastiar	vigiar
desafiar	inventariar	xerografiar

Los demás verbos de la primera conjugación terminados en -iar tienen el acento prosódico en la sílaba que precede a la i. Es decir, no presentan ninguna anomalía, por lo que se adaptan totalmente al paradigma de la primera conjugación (amar) tal como figura más adelante en el modelo número 3.

Este subgrupo es mucho más numeroso que el anterior. A continuación ofrecemos una lista, no exhaustiva, de los principales verbos :

abreviar	desperdiciar	parodiar
acariciar	desquiciar	plagiar
agobiar	elogiar	potenciar
agraviar	enjuiciar	premiar
aliviar	ensuciar	presenciar
angustiar	enturbiar	promediar
anunciar	envidiar	pronunciar
apropiar	escanciar	rabiar
arreciar	evidenciar	radiar
asediar	expoliar	refugiar
atrofiar	fastidiar	remediar
auspiciar	incendiar	renunciar
beneficiar	iniciar	reverenciar
calumniar	injuriar	saciar
cambiar	licenciar	sentenciar
codiciar	lidiar	sitiar
comerciar	limpiar	tapiar
compendiar	maliciar	terciar
contagiar	mediar	testimoniar
copiar	negociar	vanagloriarse
denunciar	odiar	vendimiar
desahuciar	oficiar	viciar

17

Para algunos verbos se vacila entre la acentuación -io e -ío. A título de orientación, puede indicarse que la pronunciación -io es más frecuente en los verbos *afiliar* (afilio), *auxiliar* (auxilio), *conciliar, filiar* y *reconciliar*, mientras que el acento sobre la *i* parece tener preferencia en *ansiar* (ansío), *expatriar* (expatrío), *gloriar, repatriar* y *zurriar*.

Afinidad entre verbos terminados en *-iar* y en *-ear*.

Existe una cierta afinidad entre los verbos terminados en *-iar* del segundo subgrupo (pronunciación *-io*) y aquellos otros que terminan en *-ear*. Esta afinidad se manifiesta sobre todo en el lenguaje popular de algunos territorios americanos, donde se ha producido una fusión más o menos completa de sus formas silábicas y acentuales. Así por ejemplo, en el habla de los gauchos argentinos, es bastante corriente el empleo del verbo *galopear* en formas tales como *galopiamos* o *galopiara*. Unos versos del Canto VI del célebre poema gauchesco *Martín Fierro*, del escritor argentino José HERNÁNDEZ (1834-1886), ilustran clara y perfectamente este uso dialectal :

> Y en medio de las aspas
> Un planazo le asenté
> Que lo largó CULEBRIANDO
> lo mismo que buscapié.
>
> Le COLORIARON las motas
> Con la sangre de la herida,
> Y volvió a venir jurioso
> Como una tigra parida.

Verbos terminados en *-uar*.

Los verbos terminados en *-uar* se dividen, al igual que los acabados en *-iar*, en dos subgrupos, según se acentúe o no la *u* en las personas del singular y en la tercera del plural de los tres presentes (indicativo, subjuntivo e imperativo). Véase la diferencia entre *actúo* (primer grupo) y *averiguo* (segundo grupo). La conjugación del verbo *actuar* figura en el cuadro que lleva el número 76.

He aquí la lista de los principales verbos que se conjugan de acuerdo con este modelo en cuanto a localización del acento prosódico :

acensuar	efectuar	menstruar
acentuar	evaluar	perpetuar
atenuar	extenuar	puntuar
avaluar	fluctuar	redituar
continuar	graduar	revaluar
deshabituar	habituar	situar
desvirtuar	individuar	tatuar
devaluar	infatuar	usufructuar
discontinuar	insinuar	valuar

Los demás verbos de la primera conjugación y terminados en *-uar* llevan el acento prosódico en la sílaba que precede a la *u*. Se trata concretamente de aquellos verbos cuyo infinitivo termina en *-cuar* o *-guar*. Por lo tanto, no presentan anomalía prosódica alguna y se conjugan conforme al paradigma de la primera conjugación (*amar*, modelo número 3) o al verbo *averiguar* (número 77).

He aquí una lista con los principales verbos de este subgrupo :

adecuar	antiguar	desaguar
aguar	apaciguar	desmenguar
amaniguarse	apropincuarse	evacuar
amenguar	atestiguar	fraguar
amortiguar	atreguar	menguar
anticuar	averiguar	oblicuar

Cabe añadir que *licuar* y *promiscuar* admiten las dos pronunciaciones.

Conjugación irregular

La mayor parte de las irregularidades de la conjugación española afectan a la raíz verbal. Vamos a exponer las más corrientes en un cuadro sinóptico, aunque existen otras de carácter excepcional y de más difícil sistematización, como son los verbos con más de una raíz y las alteraciones que experimentan ciertos futuros, condicionales, participios y gerundios :

CLASES DE IRREGULARIDAD

Vocálica	debilitación	e → i o → u	*pedir, pidió* *morir, murió*
	diptongación	e → ie o → ue i → ie u → ue	*querer, quiero* *volver, vuelvo* *inquirir, inquiero* *jugar, juego*
Conso-nántica	sustitución de consonante		*hacer, haga ; haber, haya*
	adición de consonante	a la consonante final de la raíz	*nacer, nazco ; salir, salgo*
		a la última vocal de la raíz	*huir, huyo ; oír, oye*
Mixta	sustitución	vocal + cons. por otra vocal y cons.	*decir, digo ; caber, quepo*
	agregación	de -ig a la última vocal de la raíz	*oír, oigo ; caer, caigo*

Existen dos verbos que tienen más de una raíz :

INFINITIVO	PRESENTE	PRET. IMP.	PRET. PERF. SIMPLE
ser ir	soy voy	era iba	fui fui

Algunos verbos pierden la e o la i (síncopa) de las terminaciones -er e -ir del infinitivo cuando entran en la formación de los tiempos futuro de indicativo y condicional :

INFINITIVO	FUTURO	CONDICIONAL
haber	habré	habría
caber	cabré	cabría
saber	sabré	sabría
poder	podré	podría

Transformaciones más complejas experimentan los siguientes verbos :

INFINITIVO	FUTURO	CONDICIONAL
hacer	haré	haría
querer	querré	querría
decir	diré	diría

Y otros interponen una d entre la última consonante de la raíz y la r del infinitivo :

INFINITIVO	FUTURO	CONDICIONAL
poner	pondré	pondría
tener	tendré	tendría
valer	valdré	valdría
salir	saldré	saldría
venir	vendré	vendría

Existen verbos regulares que tienen el participio irregular y otros que tienen dos participios, uno regular y otro irregular. En este caso, las terminaciones pueden ser -cho (hecho), -jo (fijo), -so (impreso) o -to (escrito). Las listas de estos verbos figuran en los apéndices III y IV.

En cuanto al gerundio, los verbos de irregularidad vocálica del tipo e → i y o → u, como pedir y morir, construyen esta forma por debilitación : pidiendo, muriendo. No existe otra irregularidad real en los gerundios, salvo las de los verbos poder y venir : pudiendo, viniendo.

Debemos consignar, por último, que en casi todos los casos la irregularidad no suele presentarse sola, sino asociada a otra u otras.

Después de estas consideraciones generales acerca de la regularidad e irregularidad de los verbos, figuran los modelos de los verbos auxiliares, regulares, irregulares o con modificaciones ortográficas y prosódicas, conjugados en su totalidad, los cuales van numerados y sirven para conjugar todos los que figuran en la lista alfabética que sigue y que tienen un número de referencia.

Estos modelos se exponen en voz activa, pero antes presentamos un verbo en voz pasiva (amar) y otro en conjugación pronominal (lavarse).

Por razones tipográficas, y para una mejor sistematización de los cuadros, hemos prescindido de anteponer los pronombres personales en cada tiempo, cosa que además se revela generalmente innecesaria en castellano, salvo en

algunos casos de ambigüedad o para añadir mayor énfasis. Estos pronombres
son los siguientes :

1ª pers.	yo	nosotros
2ª pers.	tú	vosotros
3ª pers.	él, ella, ello	ellos, ellas

Modelos para la conjugación

Auxiliares

1   haber
2   ser

Verbos regulares

3   amar (modelo 1ª conjugación)
4   temer (modelo 2ª conjugación)
5   partir (modelo 3ª conjugación)

Verbos irregulares

6	pedir	28	erguir	50	caer
7	tañer	29	dormir	51	traer
8	teñir	30	adquirir	52	raer
9	bruñir	31	podrir	53	roer
10	reír	32	jugar	54	leer
11	acertar	33	hacer	55	ver
12	errar	34	yacer	56	dar
13	tender	35	parecer	57	estar
14	querer	36	nacer	58	ir
15	tener	37	conocer	59	andar
16	poner	38	lucir	60	trocar
17	discernir	39	conducir	61	colgar
18	venir	40	placer	62	agorar
19	sonar	41	asir	63	negar
20	desosar	42	salir	64	comenzar
21	volver	43	valer	65	avergonzar
22	moler	44	huir	66	satisfacer
23	cocer	45	oír	67	regir
24	oler	46	decir	68	seguir
25	mover	47	predecir	69	embaír
26	poder	48	caber	70	abolir
27	sentir	49	saber		

Verbos con modificaciones ortográficas o prosódicas

71	sacar	78	airar	85	zurcir
72	pagar	79	ahincar	86	dirigir
73	cazar	80	cabrahigar	87	distinguir
74	forzar	81	enraizar	88	delinquir
75	guiar	82	aullar	89	prohibir
76	actuar	83	mecer	90	reunir
77	averiguar	84	proteger		

Conjugación pasiva

Cada uno de los tiempos figura con la denominación de la Real Academia Española de la Lengua y, en la parte inferior, la postulada por Andrés Bello.

―――― INDICATIVO ――――

Presente
(Bello : Presente)

soy	amado
eres	amado
es	amado
somos	amados
sois	amados
son	amados

Pret. perf. comp.
(Bello : Antepresente)

he	sido	amado
has	sido	amado
ha	sido	amado
hemos	sido	amados
habéis	sido	amados
han	sido	amados

Pret. imperf.
(Bello : Copretérito)

era	amado
eras	amado
era	amado
éramos	amados
erais	amados
eran	amados

Pret. pluscuamp.
(Bello : Antecopretérito)

había	sido	amado
habías	sido	amado
había	sido	amado
habíamos	sido	amados
habíais	sido	amados
habían	sido	amados

Pret. perf. simple
(Bello : Pretérito)

fui	amado
fuiste	amado
fue	amado
fuimos	amados
fuisteis	amados
fueron	amados

Pret. anterior
(Bello : Antepretérito)

hube	sido	amado
hubiste	sido	amado
hubo	sido	amado
hubimos	sido	amados
hubisteis	sido	amados
hubieron	sido	amados

Futuro
(Bello : Futuro)

seré	amado
serás	amado
será	amado
seremos	amados
seréis	amados
serán	amados

Futuro perf.
(Bello : Antefuturo)

habré	sido	amado
habrás	sido	amado
habrá	sido	amado
habremos	sido	amados
habréis	sido	amados
habrán	sido	amados

Condicional
(Bello : Pospretérito)

sería	amado
serías	amado
sería	amado
seríamos	amados
seríais	amados
serían	amados

Condicional perf.
(Bello : Antepospretérito)

habría	sido	amado
habrías	sido	amado
habría	sido	amado
habríamos	sido	amados
habríais	sido	amados
habrían	sido	amados

―――― SUBJUNTIVO ――――

Presente
(Bello : Presente)

sea	amado
seas	amado
sea	amado
seamos	amados
seáis	amados
sean	amados

Pret. perf.
(Bello : Antepresente)

haya	sido	amado
hayas	sido	amado
haya	sido	amado
hayamos	sido	amados
hayáis	sido	amados
hayan	sido	amados

Pret. imperf.
(Bello : Pretérito)

fuera	
o fuese	amado
fueras	
o fueses	amado
fuera	
o fuese	amado
fuéramos	
o fuésemos	amados
fuerais	
o fueseis	amados
fueran	
o fuesen	amados

Pret. pluscuamp.
(Bello : Antepretérito)

hubiera		
o hubiese	sido	amado
hubieras		
o hubieses	sido	amado
hubiera		
o hubiese	sido	amado
hubiéramos		
o hubiésemos	sido	amados
hubierais		
o hubieseis	sido	amados
hubieran		
o hubiesen	sido	amados

Futuro
(Bello : Futuro)

fuere	amado
fueres	amado
fuere	amado
fuéremos	amados
fuereis	amados
fueren	amados

Futuro perf.
(Bello : Antefuturo)

hubiere	sido	amado
hubieres	sido	amado
hubiere	sido	amado
hubiéremos	sido	amados
hubiereis	sido	amados
hubieren	sido	amados

―――― IMPERATIVO ――――

Presente

sé	tú	amado
sea	él	amado
seamos	nosotros	amados
sed	vosotros	amados
sean	ellos	amados

―――― FORMAS NO PERSONALES ――――

Infinitivo
ser amado

Infinitivo compuesto
haber sido amado

Gerundio
siendo amado

Gerundio compuesto
habiendo sido amado

Participio
sido amado

Conjugación pronominal

Presente
(Bello : Presente)

me	lavo
te	lavas
se	lava
nos	lavamos
os	laváis
se	lavan

Pret. perf. comp.
(Bello : Antepresente)

me	he	lavado
te	has	lavado
se	ha	lavado
nos	hemos	lavado
os	habéis	lavado
se	han	lavado

Pret. imperf.
(Bello : Copretérito)

me	lavaba
te	lavabas
se	lavaba
nos	lavábamos
os	lavabais
se	lavaban

Pret. pluscuamp.
(Bello : Antecopretérito)

me	había	lavado
te	habías	lavado
se	había	lavado
nos	habíamos	lavado
os	habíais	lavado
se	habían	lavado

Pret. perf. simple
(Bello : Pretérito)

me	lavé
te	lavaste
se	lavó
nos	lavamos
os	lavasteis
se	lavaron

Pret. anterior
(Bello : Antepretérito)

me	hube	lavado
te	hubiste	lavado
se	hubo	lavado
nos	hubimos	lavado
os	hubisteis	lavado
se	hubieron	lavado

Futuro
(Bello : Futuro)

me	lavaré
te	lavarás
se	lavará
nos	lavaremos
os	lavaréis
se	lavarán

Futuro perf.
(Bello : Antefuturo)

me	habré	lavado
te	habrás	lavado
se	habrá	lavado
nos	habremos	lavado
os	habréis	lavado
se	habrán	lavado

Condicional
(Bello : Pospretérito)

me	lavaría
te	lavarías
se	lavaría
nos	lavaríamos
os	lavaríais
se	lavarían

Condicional perf.
(Bello : Antepospretérito)

me	habría	lavado
te	habrías	lavado
se	habría	lavado
nos	habríamos	lavado
os	habríais	lavado
se	habrían	lavado

Presente
(Bello : Presente)

me	lave
te	laves
se	lave
nos	lavemos
os	lavéis
se	laven

Pret. perf.
(Bello : Antepresente)

me	haya	lavado
te	hayas	lavado
se	haya	lavado
nos	hayamos	lavado
os	hayáis	lavado
se	hayan	lavado

Pret. imperf.
(Bello : Pretérito)

me	lavara
o	lavase
te	lavaras
o	lavases
se	lavara
o	lavase
nos	laváramos
o	lavásemos
os	lavarais
o	lavaseis
se	lavaran
o	lavasen

Pret. pluscuamp.
(Bello : Antepretérito)

me	hubiera	
o	hubiese	lavado
te	hubieras	
o	hubieses	lavado
se	hubiera	
o	hubiese	lavado
nos	hubiéramos	
o	hubiésemos	lavado
os	hubierais	
o	hubieseis	lavado
se	hubieran	
o	hubiesen	lavado

Futuro
(Bello : Futuro)

me	lavare
te	lavares
se	lavare
nos	laváremos
os	lavareis
se	lavaren

Futuro perf.
(Bello : Antefuturo)

me	hubiere	lavado
te	hubieres	lavado
se	hubiere	lavado
nos	hubiéremos	lavado
os	hubiereis	lavado
se	hubieren	lavado

Presente

lávate	tú
lávese	él
lavémonos	nosotros
lavaos	vosotros
lávense	ellos

Infinitivo	Infinitivo compuesto
lavarse	haberse lavado
Gerundio	Gerundio compuesto
lavándose	habiéndose lavado
Participio	
(no existe)	

1 haber

____ INDICATIVO ____

Presente (Bello : Presente)	Pret. perf. comp. (Bello : Antepresente)	
he	he	abido
has	has	h bido
ha*	ha	habido
hemos	hemos	habido
habéis	habéis	habido
han	han	habido

Pret. imperf. (Bello : Copretérito)	Pret. pluscuamp. (Bello : Antecopretérito)	
había	había	habido
habías	habías	habido
había	había	habido
habíamos	habíamos	habido
habíais	habíais	habido
habían	habían	habido

Pret. perf. simple (Bello : Pretérito)	Pret. anterior (Bello : Antepretérito)	
hube	hube	habido
hubiste	hubiste	habido
hubo	hubo	habido
hubimos	hubimos	habido
hubisteis	hubisteis	habido
hubieron	hubieron	habido

Futuro (Bello : Futuro)	Futuro perf. (Bello : Antefuturo)	
habré	habré	habido
habrás	habrás	habido
habrá	habrá	habido
habremos	habremos	habido
habréis	habréis	habido
habrán	habrán	habido

Condicional (Bello : Pospretérito)	Condicional perf. (Bello : Antepospretérito)	
habría	habría	habido
habrías	habrías	habido
habría	habría	habido
habríamos	habríamos	habido
habríais	habríais	habido
habrían	habrían	habido

____ SUBJUNTIVO ____

Presente (Bello : Presente)	Pret. perf. (Bello : Antepresente)	
haya	haya	habido
hayas	hayas	habido
haya	haya	habido
hayamos	hayamos	habido
hayáis	hayáis	habido
hayan	hayan	habido

Pret. imperf. (Bello : Pretérito)	Pret. pluscuamp. (Bello : Antepretérito)	
hubiera	hubiera	
o hubiese	o hubiese	habido
hubieras	hubieras	
o hubieses	o hubieses	habido
hubiera	hubiera	
o hubiese	o hubiese	habido
hubiéramos	hubiéramos	
o hubiésemos	o hubiésemos	habido
hubierais	hubierais	
o hubieseis	o hubieseis	habido
hubieran	hubieran	
o hubiesen	o hubiesen	habido

Futuro (Bello : Futuro)	Futuro perf. (Bello : Antefuturo)	
hubiere	hubiere	habido
hubieres	hubieres	habido
hubiere	hubiere	habido
hubiéremos	hubiéremos	habido
hubiereis	hubiereis	habido
hubieren	hubieren	habido

____ IMPERATIVO ____

Presente

he	tú
haya	él
hayamos	nosotros
habed	vosotros
hayan	ellos

____ FORMAS NO PERSONALES ____

Infinitivo	Infinitivo compuesto
haber	haber habido
Gerundio	Gerundio compuesto
habiendo	habiendo habido
Participio	
habido	

* Cuando este verbo se usa impersonalmente, la 3ª persona del singular es *hay*.

2 ser

__ INDICATIVO __

Presente (Bello : Presente)	Pret. perf. comp. (Bello : Antepresente)	
soy	he	sido
eres	has	sido
es	ha	sido
somos	hemos	sido
sois	habéis	sido
son	han	sido

Pret. imperf. (Bello : Copretérito)	Pret. pluscuamp. (Bello : Antecopretérito)	
era	había	sido
eras	habías	sido
era	había	sido
éramos	habíamos	sido
erais	habíais	sido
eran	habían	sido

Pret. perf. simple (Bello : Pretéritoj	Pret. anterior (Bello : Antepretérito)	
fui	hube	sido
fuiste	hubiste	sido
fue	hubo	sido
fuimos	hubimos	sido
fuisteis	hubisteis	sido
fueron	hubieron	sido

Futuro (Bello : Futuro)	Futuro perf. (Bello : Antefuturo)	
seré	habré	sido
serás	habrás	sido
será	habrá	sido
seremos	habremos	sido
seréis	habréis	sido
serán	habrán	sido

Condicional (Bello : Pospretérito)	Condicional perf. (Bello : Antepospretérito)	
sería	habría	sido
serías	habrías	sido
sería	habría	sido
seríamos	habríamos	sido
seríais	habríais	sido
serían	habrían	sido

__ SUBJUNTIVO __

Presente (Bello : Presente)	Pret. perf. (Bello : Antepresente)	
sea	haya	sido
seas	hayas	sido
sea	haya	sido
seamos	hayamos	sido
seáis	hayáis	sido
sean	hayan	sido

Pret. imperf. (Bello : Pretérito)	Pret. pluscuamp. (Bello : Antepretérito)	
fuera	hubiera	
o fuese	o hubiese	sido
fueras	hubieras	
o fueses	o hubieses	sido
fuera	hubiera	
o fuese	o hubiese	sido
fuéramos	hubiéramos	
o fuésemos	o hubiésemos	sido
fuerais	hubierais	
o fueseis	o hubieseis	sido
fueran	hubieran	
o fuesen	o hubiesen	sido

Futuro (Bello : Futuro)	Futuro perf. (Bello : Antefuturo)	
fuere	hubiere	sido
fueres	hubieres	sido
fuere	hubiere	sido
fuéremos	hubiéremos	sido
fuereis	hubiereis	sido
fueren	hubieren	sido

__ IMPERATIVO __

Presente

sé	tú
sea	él
seamos	nosotros
sed	vosotros
sean	ellos

__ FORMAS NO PERSONALES __

Infinitivo	Infinitivo compuesto
ser	haber sido
Gerundio	Gerundio compuesto
siendo	habiendo sido
Participio	
sido	

3 amar

—— INDICATIVO ——

Presente (Bello : Presente)		Pret. perf. comp. (Bello : Antepresente)	
amo		he	amado
amas		has	amado
ama		ha	amado
amamos		hemos	amado
amáis		habéis	amado
aman		han	amado

Pret. imperf. (Bello : Copretérito)		Pret. pluscuamp. (Bello : Antecopretérito)	
amaba		había	amado
amabas		habías	amado
amaba		había	amado
amábamos		habíamos	amado
amabais		habíais	amado
amaban		habían	amado

Pret. perf. simple (Bello : Preterito)		Pret. anterior (Bello : Antepretérito)	
amé		hube	amado
amaste		hubiste	amado
amó		hubo	amado
amamos		hubimos	amado
amasteis		hubisteis	amado
amaron		hubieron	amado

Futuro (Bello : Futuro)		Futuro perf. (Bello : Antefuturo)	
amaré		habré	amado
amarás		habrás	amado
amará		habrá	amado
amaremos		habremos	amado
amaréis		habréis	amado
amarán		habrán	amado

Condicional (Bello : Pospretérito)		Condicional perf. (Bello : Antepospretérito)	
amaría		habría	amado
amarías		habrías	amado
amaría		habría	amado
amaríamos		habríamos	amado
amaríais		habríais	amado
amarían		habrían	amado

—— SUBJUNTIVO ——

Presente (Bello : Presente)	Pret. perf. (Bello : Antepresente)	
ame	haya	amado
ames	hayas	amado
ame	haya	amado
amemos	hayamos	amado
améis	hayáis	amado
amen	hayan	amado

Pret. imperf. (Bello : Pretérito)	Pret. pluscuamp. (Bello : Antepretérito)	
amara	hubiera	
o amase	o hubiese	amado
amaras	hubieras	
o amases	o hubieses	amado
amara	hubiera	
o amase	o hubiese	amado
amáramos	hubiéramos	
o amásemos	o hubiésemos	amado
amarais	hubierais	
o amaseis	o hubieseis	amado
amaran	hubieran	
o amasen	o hubiesen	amado

Futuro (Bello : Futuro)	Futuro perf. (Bello : Antefuturo)	
amare	hubiere	amado
amares	hubieres	amado
amare	hubiere	amado
amáremos	hubiéremos	amado
amareis	hubiereis	amado
amaren	hubieren	amado

—— IMPERATIVO ——

Presente

ama	tú
ame	él
amemos	nosotros
amad	vosotros
amen	ellos

—— FORMAS NO PERSONALES ——

Infinitivo amar	Infinitivo compuesto haber amado
Gerundio amando	Gerundio compuesto habiendo amado
Participio amado	

4 temer

Presente
(Bello : Presente)

temo	
temes	
teme	
tememos	
teméis	
temen	

Pret. perf. comp.
(Bello : Antepresente)

he	temido
has	temido
ha	temido
hemos	temido
habéis	temido
han	temido

Pret. imperf.
(Bello : Copretérito)

temía	
temías	
temía	
temíamos	
temíais	
temían	

Pret. pluscuamp.
(Bello : Antecopretérito)

había	temido
habías	temido
había	temido
habíamos	temido
habíais	temido
habían	temido

Pret. perf. simple
(Bello : Pretérito)

temí	
temiste	
temió	
temimos	
temisteis	
temieron	

Pret. anterior
(Bello : Antepretérito)

hube	temido
hubiste	temido
hubo	temido
hubimos	temido
hubisteis	temido
hubieron	temido

Futuro
(Bello : Futuro)

temeré	
temerás	
temerá	
temeremos	
temeréis	
temerán	

Futuro perf.
(Bello : Antefuturo)

habré	temido
habrás	temido
habrá	temido
habremos	temido
habréis	temido
habrán	temido

Condicional
(Bello : Pospretérito)

temería	
temerías	
temería	
temeríamos	
temeríais	
temerían	

Condicional perf.
(Belló : Antepospretérito)

habría	temido
habrías	temido
habría	temido
habríamos	temido
habríais	temido
habrían	temido

Presente
(Bello : Presente)

tema	
temas	
tema	
temamos	
temáis	
teman	

Pret. perf.
(Bello : Antepresente)

haya	temido
hayas	temido
haya	temido
hayamos	temido
hayáis	temido
hayan	temido

Pret. imperf.
(Bello : Pretérito)

temiera	
o temiese	
temieras	
o temieses	
temiera	
o temiese	
temiéramos	
o temiésemos	
temierais	
o temieseis	
temieran	
o temiesen	

Pret. pluscuamp.
(Bello : Antepretérito)

hubiera	
o hubiese	temido
hubieras	
o hubieses	temido
hubiera	
o hubiese	temido
hubiéramos	
o hubiésemos	temido
hubierais	
o hubieseis	temido
hubieran	
o hubiesen	temido

Futuro
(Bello : Futuro)

temiere	
temieres	
temiere	
temiéremos	
temiereis	
temieren	

Futuro perf.
(Bello : Antefuturo)

hubiere	temido
hubieres	temido
hubiere	temido
hubiéremos	temido
hubiereis	temido
hubieren	temido

Presente

teme	tú
tema	él
temamos	nosotros
temed	vosotros
teman	ellos

Infinitivo
temer

Infinitivo compuesto
haber temido

Gerundio
temiendo

Gerundio compuesto
habiendo temido

Participio
temido

5 partir

Presente (Bello : Presente)		Pret. perf. comp. (Bello : Antepresente)	
parto		he	partido
partes		has	partido
parte		ha	partido
partimos		hemos	partido
partís		habéis	partido
parten		han	partido

Pret. imperf. (Bello : Copretérito)		Pret. pluscuamp. (Bello : Antecopretérito)	
partía		había	partido
partías		habías	partido
partía		había	partido
partíamos		habíamos	partido
partíais		habíais	partido
partían		habían	partido

Pret. perf. simple (Bello : Pretérito)		Pret. anterior (Bello : Antepretérito)	
partí		hube	partido
partiste		hubiste	partido
partió		hubo	partido
partimos		hubimos	partido
partisteis		hubisteis	partido
partieron		hubieron	partido

Futuro (Bello : Futuro)		Futuro perf. (Bello : Antefuturo)	
partiré		habré	partido
partirás		habrás	partido
partirá		habrá	partido
partiremos		habremos	partido
partiréis		habréis	partido
partirán		habrán	partido

Condicional (Bello : Pospretérito)		Condicional perf. (Bello : Antepospretérito)	
partiría		habría	partido
partirías		habrías	partido
partiría		habría	partido
partiríamos		habríamos	partido
partiríais		habríais	partido
partirían		habrían	partido

Presente (Bello : Presente)		Pret. perf. (Bello : Antepresente)	
parta		haya	partido
partas		hayas	partido
parta		haya	partido
partamos		hayamos	partido
partáis		hayáis	partido
partan		hayan	partido

Pret. imperf. (Bello : Pretérito)		Pret. pluscuamp. (Bello : Antepretérito)	
partiera		hubiera	
o partiese		o hubiese	partido
partieras		hubieras	
o partieses		o hubieses	partido
partiera		hubiera	
o partiese		o hubiese	partido
partiéramos		hubiéramos	
o partiésemos		o hubiésemos	partido
partierais		hubierais	
o partieseis		o hubieseis	partido
partieran		hubieran	
o partiesen		o hubiesen	partido

Futuro (Bello : Futuro)		Futuro perf. (Bello : Antefuturo)	
partiere		hubiere	partido
partieres		hubieres	partido
partiere		hubiere	partido
partiéremos		hubiéremos	partido
partiereis		hubiereis	partido
partieren		hubieren	partido

——— IMPERATIVO———

Presente

parte	tú
parta	él
partamos	nosotros
partid	vosotros
partan	ellos

——— FORMAS NO PERSONALES———

Infinitivo partir	Infinitivo compuesto haber partido
Gerundio partiendo	Gerundio compuesto habiendo partido
Participio partido	

6 pedir

---- **INDICATIVO** ----

Presente
(Bello : Presente)

pido
pides
pide
pedimos
pedís
piden

Pret. perf. comp.
(Bello : Antepresente)

he pedido
has pedido
ha pedido
hemos pedido
habéis pedido
han pedido

Pret. imperf.
(Bello : Copretérito)

pedía
pedías
pedía
pedíamos
pedíais
pedían

Pret. pluscuamp.
(Bello : Antecopretérito)

había pedido
habías pedido
había pedido
habíamos pedido
habíais pedido
habían pedido

Pret. perf. simple
(Bello : Pretérito)

pedí
pediste
pidió
pedimos
pedisteis
pidieron

Pret. anterior
(Bello : Antepretérito)

hube pedido
hubiste pedido
hubo pedido
hubimos pedido
hubisteis pedido
hubieron pedido

Futuro
(Bello : Futuro)

pediré
pedirás
pedirá
pediremos
pediréis
pedirán

Futuro perf.
(Bello : Antefuturo)

habré pedido
habrás pedido
habrá pedido
habremos pedido
habréis pedido
habrán pedido

Condicional
(Bello : Pospretérito)

pediría
pedirías
pediría
pediríamos
pediríais
pedirían

Condicional perf.
(Bello : Antepospretérito)

habría pedido
habrías pedido
habría pedido
habríamos pedido
habríais pedido
habrían pedido

---- **SUBJUNTIVO** ----

Presente
(Bello : Presente)

pida
pidas
pida
pidamos
pidáis
pidan

Pret. perf.
(Bello : Antepresente)

haya pedido
hayas pedido
haya pedido
hayamos pedido
hayáis pedido
hayan pedido

Pret. imperf.
(Bello : Pretérito)

pidiera
o pidiese
pidieras
o pidieses
pidiera
o pidiese
pidiéramos
o pidiésemos
pidierais
o pidieseis
pidieran
o pidiesen

Pret. pluscuamp.
(Bello : Antepretérito)

hubiera
o hubiese pedido
hubieras
o hubieses pedido
hubiera
o hubiese pedido
hubiéramos
o hubiésemos pedido
hubierais
o hubieseis pedido
hubieran
o hubiesen pedido

Futuro
(Bello : Futuro)

pidiere
pidieres
pidiere
pidiéremos
pidiereis
pidieren

Futuro perf.
(Bello : Antefuturo)

hubiere pedido
hubieres pedido
hubiere pedido
hubiéremos pedido
hubiereis pedido
hubieren pedido

---- **IMPERATIVO** ----

Presente

pide tú
pida él
pidamos nosotros
pedid vosotros
pidan ellos

---- **FORMAS NO PERSONALES** ----

Infinitivo
pedir

Infinitivo compuesto
haber pedido

Gerundio
pidiendo

Gerundio compuesto
habiendo pedido

Participio
pedido

7 tañer

_____ INDICATIVO _____

Presente (Bello : Presente)	Pret. perf. comp. (Bello : Antepresente)	
taño	he	tañido
tañes	has	tañido
tañe	ha	tañido
tañemos	hemos	tañido
tañéis	habéis	tañido
tañen	han	tañido

Pret. imperf. (Bello : Copretérito)	Pret. pluscuamp. (Bello : Antecopretérito)	
tañía	había	tañido
tañías	habías	tañido
tañía	había	tañido
tañíamos	habíamos	tañido
tañíais	habíais	tañido
tañían	habían	tañido

Pret. perf. simple (Bello : Pretérito)	Pret. anterior (Bello : Antepretérito)	
tañí	hube	tañido
tañiste	hubiste	tañido
tañó	hubo	tañido
tañimos	hubimos	tañido
tañisteis	hubisteis	tañido
tañeron	hubieron	tañido

Futuro (Bello : Futuro)	Futuro perf. (Bello : Antefuturo)	
tañeré	habré	tañido
tañerás	habrás	tañido
tañerá	habrá	tañido
tañeremos	habremos	tañido
tañeréis	habréis	tañido
tañerán	habrán	tañido

Condicional (Bello : Pospretérito)	Condicional perf. (Bello : Antepospretérito)	
tañería	habría	tañido
tañerías	habrías	tañido
tañería	habría	tañido
tañeríamos	habríamos	tañido
tañeríais	habríais	tañido
tañerían	habrían	tañido

_____ SUBJUNTIVO _____

Presente (Bello : Presente)	Pret. perf. (Bello : Antepresente)	
taña	haya	tañido
tañas	hayas	tañido
taña	haya	tañido
tañamos	hayamos	tañido
tañáis	hayáis	tañido
tañan	hayan	tañido

Pret. imperf. (Bello : Pretérito)	Pret. pluscuamp. (Bello : Antepretérito)	
tañera	hubiera	
o tañese	o hubiese	tañido
tañeras	hubieras	
o tañeses	o hubieses	tañido
tañera	hubiera	
o tañese	o hubiese	tañido
tañéramos	hubiéramos	
o tañésemos	o hubiésemos	tañido
tañerais	hubierais	
o tañeseis	o hubieseis	tañido
tañeran	hubieran	
o tañesen	o hubiesen	tañido

Futuro (Bello : Futuro)	Futuro perf. (Bello : Antefuturo)	
tañere	hubiere	tañido
tañeres	hubieres	tañido
tañere	hubiere	tañido
tañéremos	hubiéremos	tañido
tañereis	hubiereis	tañido
tañeren	hubieren	tañido

_____ IMPERATIVO _____

Presente

tañe	tú
taña	él
tañamos	nosotros
tañed	vosotros
tañan	ellos

_____ FORMAS NO PERSONALES _____

Infinitivo	Infinitivo compuesto
tañer	haber tañido
Gerundio	**Gerundio compuesto**
tañendo	habiendo tañido
Participio	
tañido	

30

8 teñir

―――― INDICATIVO ――――

Presente
(Bello : Presente)

tiño	
tiñes	
tiñe	
teñimos	
teñís	
tiñen	

Pret. perf. comp.
(Bello : Antepresente)

he	teñido
has	teñido
ha	teñido
hemos	teñido
habéis	teñido
han	teñido

Pret. imperf.
(Bello : Copretérito)

teñía	
teñías	
teñía	
teñíamos	
teñíais	
teñían	

Pret. pluscuamp.
(Bello : Antecopretérito)

había	teñido
habías	teñido
había	teñido
habíamos	teñido
habíais	teñido
habían	teñido

Pret. perf. simple
(Bello : Pretérito)

teñí	
teñiste	
tiñó	
teñimos	
teñisteis	
tiñeron	

Pret. anterior
(Bello : Antepretérito)

hube	teñido
hubiste	teñido
hubo	teñido
hubimos	teñido
hubisteis	teñido
hubieron	teñido

Futuro
(Bello : Futuro)

teñiré	
teñirás	
teñirá	
teñiremos	
teñiréis	
teñirán	

Futuro perf.
(Bello : Antefuturo)

habré	teñido
habrás	teñido
habrá	teñido
habremos	teñido
habréis	teñido
habrán	teñido

Condicional
(Bello : Pospretérito)

teñiría	
teñirías	
teñiría	
teñiríamos	
teñiríais	
teñirían	

Condicional perf.
(Bello : Antepospretérito)

habría	teñido
habrías	teñido
habría	teñido
habríamos	teñido
habríais	teñido
habrían	teñido

―――― SUBJUNTIVO ――――

Presente
(Bello : Presente)

tiña	
tiñas	
tiña	
tiñamos	
tiñáis	
tiñan	

Pret. perf.
(Bello : Antepresente)

haya	teñido
hayas	teñido
haya	teñido
hayamos	teñido
hayáis	teñido
hayan	teñido

Pret. imperf.
(Bello : Pretérito)

tiñera
o tiñese
tiñeras
o tiñeses
tiñera
o tiñese
tiñéramos
o tiñésemos
tiñerais
o tiñeseis
tiñeran
o tiñesen

Pret. pluscuamp.
(Bello : Antepretérito)

hubiera	
o hubiese	teñido
hubieras	
o hubieses	teñido
hubiera	
o hubiese	teñido
hubiéramos	
o hubiésemos	teñido
hubierais	
o hubieseis	teñido
hubieran	
o hubiesen	teñido

Futuro
(Bello : Futuro)

tiñere	
tiñeres	
tiñere	
tiñéremos	
tiñereis	
tiñeren	

Futuro perf.
(Bello : Antefuturo)

hubiere	teñido
hubieres	teñido
hubiere	teñido
hubiéremos	teñido
hubiereis	teñido
hubieren	teñido

―――― IMPERATIVO ――――

Presente

tiñe	tú
tiña	él
tiñamos	nosotros
teñid	vosotros
tiñan	ellos

―――― FORMAS NO PERSONALES ――――

Infinitivo	Infinitivo compuesto
teñir	haber teñido

Gerundio	Gerundio compuesto
tiñendo	habiendo teñido

Participio
teñido

31

9 bruñir

___ INDICATIVO ___

Presente
(Bello : Presente)

bruño
bruñes
bruñe
bruñimos
bruñís
bruñen

Pret. perf. comp.
(Bello : Antepresente)

he bruñido
has bruñido
ha bruñido
hemos bruñido
habéis bruñido
han bruñido

Pret. imperf.
(Bello : Copretérito)

bruñía
bruñías
bruñía
bruñíamos
bruñíais
bruñían

Pret. pluscuamp.
(Bello : Antecopretérito)

había bruñido
habías bruñido
había bruñido
habíamos bruñido
habíais bruñido
habían bruñido

Pret. perf. simple
(Bello : Pretérito)

bruñí
bruñiste
bruñó
bruñimos
bruñisteis
bruñeron

Pret. anterior
(Bello : Antepretérito)

hube bruñido
hubiste bruñido
hubo bruñido
hubimos bruñido
hubisteis bruñido
hubieron bruñido

Futuro
(Bello : Futuro)

bruñiré
bruñirás
bruñirá
bruñiremos
bruñiréis
bruñirán

Futuro perf.
(Bello : Antefuturo)

habré bruñido
habrás bruñido
habrá bruñido
habremos bruñido
habréis bruñido
habrán bruñido

Condicional
(Bello : Pospretérito)

bruñiría
bruñirías
bruñiría
bruñiríamos
bruñiríais
bruñirían

Condicional perf.
(Bello : Antepospretérito)

habría bruñido
habrías bruñido
habría bruñido
habríamos bruñido
habríais bruñido
habrían bruñido

___ SUBJUNTIVO ___

Presente
(Bello : Presente)

bruña
bruñas
bruña
bruñamos
bruñáis
bruñan

Pret. perf.
(Bello : Antepresente)

haya bruñido
hayas bruñido
haya bruñido
hayamos bruñido
hayáis bruñido
hayan bruñido

Pret. imperf.
(Bello : Pretérito)

bruñera
o bruñese
bruñeras
o bruñeses
bruñera
o bruñese
bruñéramos
o bruñésemos
bruñerais
o bruñeseis
bruñeran
o bruñesen

Pret. pluscuamp.
(Bello : Antepretérito)

hubiera
o hubiese bruñido
hubieras
o hubieses bruñido
hubiera
o hubiese bruñido
hubiéramos
o hubiésemos bruñido
hubierais
o hubieseis bruñido
hubieran
o hubiesen bruñido

Futuro
(Bello : Futuro)

bruñere
bruñeres
bruñere
bruñéremos
bruñereis
bruñeren

Futuro perf.
(Bello : Antefuturo)

hubiere bruñido
hubieres bruñido
hubiere bruñido
hubiéremos bruñido
hubiereis bruñido
hubieren bruñido

___ IMPERATIVO ___

Presente

bruñe tú
bruña él
bruñamos nosotros
bruñid vosotros
bruñan ellos

___ FORMAS NO PERSONALES ___

Infinitivo
bruñir

Infinitivo compuesto
haber bruñido

Gerundio
bruñendo

Gerundio compuesto
habiendo bruñido

Participio
bruñido

10 reír

____ INDICATIVO ____ _ _ | ____ SUBJUNTIVO ____

Presente (Bello : Presente)	Pret. perf. comp. (Bello : Antepresente)		Presente (Bello : Presente)	Pret. perf. (Bello : Antepresente)	
río	he	reído	ría	haya	reído
ríes	has	reído	rías	hayas	reído
ríe	ha	reído	ría	haya	reído
reímos	hemos	reído	riamos	hayamos	reído
reís	habéis	reído	riáis	hayáis	reído
ríen	han	reído	rían	hayan	reído

Pret. imperf. (Bello : Copretérito)	Pret. pluscuamp. (Bello : Antecopretérito)		Pret. imperf (Bello : Pretérito)	Pret. pluscuamp. (Bello : Antepretérito)	
reía	había	reído	riera	hubiera	
reías	habías	reído	o riese	o hubiese	reído
reía	había	reído	rieras	hubieras	
reíamos	habíamos	reído	o rieses	o hubieses	reído
reíais	habíais	reído	riera	hubiera	
reían	habían	reído	o riese	o hubiese	reído
			riéramos	hubiéramos	
			o riésemos	o hubiésemos	reído
			rierais	hubierais	
			o rieseis	o hubieseis	reído
			rieran	hubieran	
			o riesen	o hubiesen	reído

Pret. perf. simple (Bello : Pretérito)	Pret. anterior (Bello : Antepretérito)	
reí	hube	reído
reíste	hubiste	reído
rió	hubo	reído
reímos	hubimos	reído
reísteis	hubisteis	reído
rieron	hubieron	reído

Futuro (Bello : Futuro)	Futuro perf. (Bello : Antefuturo)	
riere	hubiere	reído
rieres	hubieres	reído
riere	hubiere	reído
riéremos	hubiéremos	reído
riereis	hubiereis	reído
rieren	hubieren	reído

Futuro (Bello : Futuro)	Futuro perf. (Bello : Antefuturo)	
reiré	habré	reído
reirás	habrás	reído
reirá	habrá	reído
reiremos	habremos	reído
reiréis	habréis	reído
reirán	habrán	reído

____ IMPERATIVO ____

Presente	
ríe	tú
ría	él
riamos	nosotros
reíd	vosotros
rían	ellos

Condicional (Bello : Pospretérito)	Condicional perf. (Bello : Antepospretérito)	
reiría	habría	reído
reirías	habrías	reído
reiría	habría	reído
reiríamos	habríamos	reído
reiríais	habríais	reído
reirían	habrían	reído

____ FORMAS NO PERSONALES ____

Infinitivo	Infinitivo compuesto
reir	haber reído
Gerundio	**Gerundio compuesto**
riendo	habiendo reído
Participio	
reído	

11 acertar

Presente
(Bello : Presente)

acierto
aciertas
acierta
acertamos
acertáis
aciertan

Pret. perf. comp.
(Bello : Antepresente)

he acertado
has acertado
ha acertado
hemos acertado
habéis acertado
han acertado

Pret. imperf.
(Bello : Copretérito)

acertaba
acertabas
acertaba
acertábamos
acertabais
acertaban

Pret. pluscuamp.
(Bello : Antecopretérito)

había acertado
habías acertado
había acertado
habíamos acertado
habíais acertado
habían acertado

Pret. perf. simple
(Bello : Pretérito)

acerté
acertaste
acertó
acertamos
acertasteis
acertaron

Pret. anterior
(Bello : Antepretérito)

hube acertado
hubiste acertado
hubo acertado
hubimos acertado
hubisteis acertado
hubieron acertado

Futuro
(Bello : Futuro)

acertaré
acertarás
acertará
acertaremos
acertaréis
acertarán

Futuro perf.
(Bello : Antefuturo)

habré acertado
habrás acertado
habrá acertado
habremos acertado
habréis acertado
habrán acertado

Condicional
(Bello : Pospretérito)

acertaría
acertarías
acertaría
acertaríamos
acertaríais
acertarían

Condicional perf.
(Bello : Antepospretérito)

habría acertado
habrías acertado
habría acertado
habríamos acertado
habríais acertado
habrían acertado

SUBJUNTIVO

Presente
(Bello : Presente)

acierte
aciertes
acierte
acertemos
acertéis
acierten

Pret. perf.
(Bello : Antepresente)

haya acertado
hayas acertado
haya acertado
hayamos acertado
hayáis acertado
hayan acertado

Pret. imperf.
(Bello : Pretérito)

acertara
o acertase
acertaras
o acertases
acertara
o acertase
acertáramos
o acertásemos
acertarais
o acertaseis
acertaran
o acertasen

Pret. pluscuamp.
(Bello : Antepretérito)

hubiera
o hubiese acertado
hubieras
o hubieses acertado
hubiera
o hubiese acertado
hubiéramos
o hubiésemos acertado
hubierais
o hubieseis acertado
hubieran
o hubiesen acertado

Futuro
(Bello : Futuro)

acertare
acertares
acertare
acertáremos
acertareis
acertaren

Futuro perf.
(Bello : Antefuturo)

hubiere acertado
hubieres acertado
hubiere acertado
hubiéremos acertado
hubiereis acertado
hubieren acertado

IMPERATIVO

Presente

acierta tú
acierte él
acertemos nosotros
acertad vosotros
acierten ellos

FORMAS NO PERSONALES

Infinitivo
acertar

Infinitivo compuesto
haber acertado

Gerundio
acertando

Gerundio compuesto
habiendo acertado

Participio
acertado

12 errar

___ INDICATIVO ___

Presente
(Bello : Presente)

yerro
yerras
yerra
erramos
erráis
yerran

Pret. perf. comp.
(Bello : Antepresente)

he errado
has errado
ha errado
hemos errado
habéis errado
han errado

Pret. imperf.
(Bello : Copretérito)

erraba
errabas
erraba
errábamos
errabais
erraban

Pret. pluscuamp.
(Bello : Antecopretérito)

había errado
habías errado
había errado
habíamos errado
habíais errado
habían errado

Pret. perf. simple
(Bello : Pretérito)

erré
erraste
erró
erramos
errasteis
erraron

Pret. anterior
(Bello : Antepretérito)

hube errado
hubiste errado
hubo errado
hubimos errado
hubisteis errado
hubieron errado

Futuro
(Bello : Futuro)

erraré
errarás
errará
erraremos
erraréis
errarán

Futuro perf.
(Bello : Antefuturo)

habré errado
habrás errado
habrá errado
habremos errado
habréis errado
habrán errado

Condicional
(Bello : Pospretérito)

erraría
errarías
erraría
erraríamos
erraríais
errarían

Condicional perf.
(Bello : Antepospretérito)

habría errado
habrías errado
habría errado
habríamos errado
habríais errado
habrían errado

___ SUBJUNTIVO ___

Presente
(Bello : Presente)

yerrè
yerres
yerre
erremos
erréis
yerren

Pret. perf.
(Bello : Antepresente)

haya errado
hayas errado
haya errado
hayamos errado
hayáis errado
hayan errado

Pret. imperf.
(Bello : Pretérito)

errara
o errase
erraras
o errases
errara
o errase
erráramos
o errásemos
errarais
o erraseis
erraran
o errasen

Pret. pluscuamp.
(Bello : Antepretérito)

hubiera
o hubiese errado
hubieras
o hubieses errado
hubiera
o hubiese errado
hubiéramos
o hubiésemos errado
hubierais
o hubieseis errado
hubieran
o hubiesen errado

Futuro
(Bello : Futuro)

errare
errares
errare
erráremos
errareis
erraren

Futuro perf.
(Bello : Antefuturo)

hubiere errado
hubieres errado
hubiere errado
hubiéremos errado
hubiereis errado
hubieren errado

___ IMPERATIVO ___

Presente

yerra tú
yerre él
erremos nosotros
errad vosotros
yerren ellos

___ FORMAS NO PERSONALES ___

Infinitivo
errar

Infinitivo compuesto
haber errado

Gerundio
errando

Gerundio compuesto
habiendo errado

Participio
errado

13 tender

Presente
(Bello : Presente)

| tiendo |
| tiendes |
| tiende |
| tendemos |
| tendéis |
| tienden |

Pret. perf. comp.
(Bello : Antepresente)

he	tendido
has	tendido
ha	tendido
hemos	tendido
habéis	tendido
han	tendido

Pret. imperf.
(Bello : Copretérito)

| tendía |
| tendías |
| tendía |
| tendíamos |
| tendíais |
| tendían |

Pret. pluscuamp.
(Bello : Antecopretérito)

había	tendido
habías	tendido
había	tendido
habíamos	tendido
habíais	tendido
habían	tendido

Pret. perf. simple
(Bello : Pretérito)

| tendí |
| tendiste |
| tendió |
| tendimos |
| tendisteis |
| tendieron |

Pret. anterior
(Bello : Antepretérito)

hube	tendido
hubiste	tendido
hubo	tendido
hubimos	tendido
hubisteis	tendido
hubieron	tendido

Futuro
(Bello : Futuro)

| tenderé |
| tenderás |
| tenderá |
| tenderemos |
| tenderéis |
| tenderán |

Futuro perf.
(Bello : Antefuturo)

habré	tendido
habrás	tendido
habrá	tendido
habremos	tendido
habréis	tendido
habrán	tendido

Condicional
(Bello : Pospretérito)

| tendería |
| tenderías |
| tendería |
| tenderíamos |
| tenderíais |
| tenderían |

Condicional perf.
(Bello : Antepospretérito)

habría	tendido
habrías	tendido
habría	tendido
habríamos	tendido
habríais	tendido
habrían	tendido

Presente
(Bello : Presente)

| tienda |
| tiendas |
| tienda |
| tendamos |
| tendáis |
| tiendan |

Pret. perf.
(Bello : Antepresente)

haya	tendido
hayas	tendido
haya	tendido
hayamos	tendido
hayáis	tendido
hayan	tendido

Pret. imperf.
(Bello : Pretérito)

| tendiera |
| o tendiese |
| tendieras |
| o tendieses |
| tendiera |
| o tendiese |
| tendiéramos |
| o tendiésemos |
| tendierais |
| o tendieseis |
| tendieran |
| o tendiesen |

Pret. pluscuamp.
(Bello : Antepretérito)

| hubiera |
| o hubiese | tendido |
| hubieras |
| o hubieses | tendido |
| hubiera |
| o hubiese | tendido |
| hubiéramos |
| o hubiésemos | tendido |
| hubierais |
| o hubieseis | tendido |
| hubieran |
| o hubiesen | tendido |

Futuro
(Bello : Futuro)

| tendiere |
| tendieres |
| tendiere |
| tendiéremos |
| tendiereis |
| tendieren |

Futuro perf.
(Bello : Antefuturo)

hubiere	tendido
hubieres	tendido
hubiere	tendido
hubiéremos	tendido
hubiereis	tendido
hubieren	tendido

——— IMPERATIVO ———

Presente

tiende	tú
tienda	él
tendamos	nosotros
tended	vosotros
tiendan	ellos

——— FORMAS NO PERSONALES ———

Infinitivo	Infinitivo compuesto
tender	haber tendido
Gerundio	Gerundio compuesto
tendiendo	habiendo tendido
Participio	
tendido	

14 querer

___ INDICATIVO ___

Presente (Bello : Presente)	Pret. perf. comp. (Bello : Antepresente)	
quiero	he	querido
quieres	has	querido
quiere	ha	querido
queremos	hemos	querido
queréis	habéis	querido
quieren	han	querido

Pret. imperf. (Bello : Copretérito)	Pret. pluscuamp. (Bello : Antecopretérito)	
quería	había	querido
querías	habías	querido
quería	había	querido
queríamos	habíamos	querido
queríais	habíais	querido
querían	habían	querido

Pret. perf. simple (Bello : Pretérito)	Pret. anterior (Bello : Antepretérito)	
quise	hube	querido
quisiste	hubiste	querido
quiso	hubo	querido
quisimos	hubimos	querido
quisisteis	hubisteis	querido
quisieron	hubieron	querido

Futuro (Bello : Futuro)	Futuro perf. (Bello : Antefuturo)	
querré	habré	querido
querrás	habrás	querido
querrá	habrá	querido
querremos	habremos	querido
querréis	habréis	querido
querrán	habrán	querido

Condicional (Bello : Pospretérito)	Condicional perf. (Bello : Antepospretérito)	
querría	habría	querido
querrías	habrías	querido
querría	habría	querido
querríamos	habríamos	querido
querríais	habríais	querido
querrían	habrían	querido

___ SUBJUNTIVO ___

Presente (Bello : Presente)	Pret. perf. (Bello : Antepresente)	
quiera	haya	querido
quieras	hayas	querido
quiera	haya	querido
queramos	hayamos	querido
queráis	hayáis	querido
quieran	hayan	querido

Pret. imperf. (Bello : Pretérito)	Pret. pluscuamp. (Bello : Antepretérito)	
quisiera	hubiera	
o quisiese	o hubiese	querido
quisieras	hubieras	
o quisieses	o hubieses	querido
quisiera	hubiera	
o quisiese	o hubiese	querido
quisiéramos	hubiéramos	
o quisiésemos	o hubiésemos	querido
quisierais	hubierais	
o quisieseis	o hubieseis	querido
quisieran	hubieran	
o quisiesen	o hubiesen	querido

Futuro (Bello : Futuro)	Futuro perf. (Bello : Antefuturo)	
quisiere	hubiere	querido
quisieres	hubieres	querido
quisiere	hubiere	querido
quisiéremos	hubiéremos	querido
quisiereis	hubiereis	querido
quisieren	hubieren	querido

___ IMPERATIVO ___

Presente

quiere	tú
quiera	él
queramos	nosotros
quered	vosotros
quieran	ellos

___ FORMAS NO PERSONALES ___

Infinitivo	Infinitivo compuesto
querer	haber querido
Gerundio	Gerundio compuesto
queriendo	habiendo querido
Participio	
querido	

15 tener

Presente (Bello : Presente)	Pret. perf. comp. (Bello : Antepresente)	
tengo	he	tenido
tienes	has	tenido
tiene	ha	tenido
tenemos	hemos	tenido
tenéis	habéis	tenido
tienen	han	tenido

Presente (Bello : Presente)	Pret. perf. (Bello : Antepresente)	
tenga	haya	tenido
tengas	hayas	tenido
tenga	haya	tenido
tengamos	hayamos	tenido
tengáis	hayáis	tenido
tengan	hayan	tenido

Pret. imperf. (Bello : Copretérito)	Pret. pluscuamp. (Bello : Antecopretérito)	
tenía	había	tenido
tenías	habías	tenido
tenía	había	tenido
teníamos	habíamos	tenido
teníais	habíais	tenido
tenían	habían	tenido

Pret. imperf. (Bello : Pretérito)	Pret. pluscuamp. (Bello : Antepretérito)	
tuviera o tuviese	hubiera o hubiese	tenido
tuvieras o tuvieses	hubieras o hubieses	tenido
tuviera o tuviese	hubiera o hubiese	tenido
tuviéramos o tuviésemos	hubiéramos o hubiésemos	tenido
tuvierais o tuvieseis	hubierais o hubieseis	tenido
tuvieran o tuviesen	hubieran o hubiesen	tenido

Pret. perf. simple (Bello : Pretérito)	Pret. anterior (Bello : Antepretérito)	
tuve	hube	tenido
tuviste	hubiste	tenido
tuvo	hubo	tenido
tuvimos	hubimos	tenido
tuvisteis	hubisteis	tenido
tuvieron	hubieron	tenido

Futuro (Bello : Futuro)	Futuro perf. (Bello : Antefuturo)	
tuviere	hubiere	tenido
tuvieres	hubieres	tenido
tuviere	hubiere	tenido
tuviéremos	hubiéremos	tenido
tuviereis	hubiereis	tenido
tuvieren	hubieren	tenido

Futuro (Bello : Futuro)	Futuro perf. (Bello : Antefuturo)	
tendré	habré	tenido
tendrás	habrás	tenido
tendrá	habrá	tenido
tendremos	habremos	tenido
tendréis	habréis	tenido
tendrán	habrán	tenido

Presente

ten	tú
tenga	él
tengamos	nosotros
tened	vosotros
tengan	ellos

Condicional (Bello : Pospretérito)	Condicional perf. (Bello : Antepospretérito)	
tendría	habría	tenido
tendrías	habrías	tenido
tendría	habría	tenido
tendríamos	habríamos	tenido
tendríais	habríais	tenido
tendrían	habrían	tenido

Infinitivo	Infinitivo compuesto
tener	haber tenido
Gerundio	Gerundio compuesto
teniendo	habiendo tenido
Participio	
tenido	

16 poner

INDICATIVO

Presente
(Bello : Presente)

pongo
pones
pone
ponemos
ponéis
ponen

Pret. perf. comp.
(Bello : Antepresente)

he puesto
has puesto
ha puesto
hemos puesto
habéis puesto
han puesto

Pret. imperf.
(Bello : Copretérito)

ponía
ponías
ponía
poníamos
poníais
ponían

Pret. pluscuamp.
(Bello : Antecopretérito)

había puesto
habías puesto
había puesto
habíamos puesto
habíais puesto
habían puesto

Pret. perf. simple
(Bello : Pretérito)

puse
pusiste
puso
pusimos
pusisteis
pusieron

Pret. anterior
(Bello : Antepretérito)

hube puesto
hubiste puesto
hubo puesto
hubimos puesto
hubisteis puesto
hubieron puesto

Futuro
(Bello : Futuro)

pondré
pondrás
pondrá
pondremos
pondréis
pondrán

Futuro perf.
(Bello : Antefuturo)

habré puesto
habrás puesto
habrá puesto
habremos puesto
habréis puesto
habrán puesto

Condicional
(Bello : Pospretérito)

pondría
pondrías
pondría
pondríamos
pondríais
pondrían

Condicional perf.
(Bello : Antepospretérito)

habría puesto
habrías puesto
habría puesto
habríamos puesto
habríais puesto
habrían puesto

SUBJUNTIVO

Presente
(Bello : Presente)

ponga
pongas
ponga
pongamos
pongáis
pongan

Pret. perf.
(Bello : Antepresente)

haya puesto
hayas puesto
haya puesto
hayamos puesto
hayáis puesto
hayan puesto

Pret. imperf.
(Bello : Pretérito)

pusiera
o pusiese
pusieras
o pusieses
pusiera
o pusiese
pusiéramos
o pusiésemos
pusierais
o pusieseis
pusieran
o pusiesen

Pret. pluscuamp.
(Bello : Antepretérito)

hubiera
o hubiese puesto
hubieras
o hubieses puesto
hubiera
o hubiese puesto
hubiéramos
o hubiésemos puesto
hubierais
o hubieseis puesto
hubieran
o hubiesen puesto

Futuro
(Bello : Futuro)

pusiere
pusieres
pusiere
pusiéremos
pusiereis
pusieren

Futuro perf.
(Bello : Antefuturo)

hubiere puesto
hubieres puesto
hubiere puesto
hubiéremos puesto
hubiereis puesto
hubieren puesto

IMPERATIVO

Presente

pon tú
ponga él
pongamos nosotros
poned vosotros
pongan ellos

FORMAS NO PERSONALES

Infinitivo
poner

Infinitivo compuesto
haber puesto

Gerundio
poniendo

Gerundio compuesto
habiendo puesto

Participio
puesto

17 discernir

—— INDICATIVO ——

Presente (Bello : Presente)	Pret. perf. comp. (Bello : Antepresente)	
discierno	he	discernido
disciernes	has	discernido
discierne	ha	discernido
discernimos	hemos	discernido
discernís	habéis	discernido
disciernen	han	discernido

Pret. imperf. (Bello : Copretérito)	Pret. pluscuamp. (Bello : Antecopretérito)	
discernía	había	discernido
discernías	habías	discernido
discernía	había	discernido
discerníamos	habíamos	discernido
discerníais	habíais	discernido
discernían	habían	discernido

Pret. perf. simple (Bello : Pretérito)	Pret. anterior (Bello : Antepretérito)	
discerní	hube	discernido
discerniste	hubiste	discernido
discernió	hubo	discernido
discernimos	hubimos	discernido
discernisteis	hubisteis	discernido
discernieron	hubieron	discernido

Futuro (Bello : Futuro)	Futuro perf. (Bello : Antefuturo)	
discerniré	habré	discernido
discernirás	habrás	discernido
discernirá	habrá	discernido
discerniremos	habremos	discernido
discerniréis	habréis	discernido
discernirán	habrán	discernido

Condicional (Bello : Pospretérito)	Condicional perf. (Bello : Antepospretérito)	
discerniría	habría	discernido
discernirías	habrías	discernido
discerniría	habría	discernido
discerniríamos	habríamos	discernido
discerniríais	habríais	discernido
discernirían	habrían	discernido

—— SUBJUNTIVO ——

Presente (Bello : Presente)	Pret. perf. (Bello : Antepresente)	
discierna	haya	discernido
disciernas	hayas	discernido
discierna	haya	discernido
discernamos	hayamos	discernido
discernáis	hayáis	discernido
disciernan	hayan	discernido

Pret. imperf. (Bello : Pretérito)	Pret. pluscuamp. (Bello : Antepretérito)	
discerniera	hubiera	
o discerniese	o hubiese	discernido
discernieras	hubieras	
o discernieses	o hubieses	discernido
discerniera	hubiera	
o discerniese	o hubiese	discernido
discerniéramos	hubiéramos	
o discerniésemos	o hubiésemos	discernido
discernierais	hubierais	
o discernieseis	o hubieseis	discernido
discernieran	hubieran	
o discerniesen	o hubiesen	discernido

Futuro (Bello : Futuro)	Futuro perf. (Bello : Antefuturo)	
discerniere	hubiere	discernido
discernieres	hubieres	discernido
discerniere	hubiere	discernido
discerniéremos	hubiéremos	discernido
discerniereis	hubiereis	discernido
discernieren	hubieren	discernido

—— IMPERATIVO ——

Presente

discierne	tú
discierna	él
discernamos	nosotros
discernid	vosotros
disciernan	ellos

—— FORMAS NO PERSONALES ——

Infinitivo	Infinitivo compuesto
discernir	haber discernido
Gerundio	Gerundio compuesto
discerniendo	habiendo discernido
Participio	
discernido	

18 venir

INDICATIVO

Presente (Bello : Presente)	Pret. perf. comp. (Bello : Antepresente)
vengo	he venido
vienes	has venido
viene	ha venido
venimos	hemos venido
venís	habéis venido
vienen	han venido

Pret. imperf. (Bello : Copretérito)	Pret. pluscuamp. (Bello : Antecopretérito)
venía	había venido
venías	habías venido
venía	había venido
veníamos	habíamos venido
veníais	habíais venido
venían	habían venido

Pret. perf. simple (Bello : Pretérito)	Pret. anterior (Bello : Antepretérito)
vine	hube venido
viniste	hubiste venido
vino	hubo venido
vinimos	hubimos venido
vinisteis	hubisteis venido
vinieron	hubieron venido

Futuro (Bello : Futuro)	Futuro perf. (Bello : Antefuturo)
vendré	habré venido
vendrás	habrás venido
vendrá	habrá venido
vendremos	habremos venido
vendréis	habréis venido
vendrán	habrán venido

Condicional (Bello : Pospretérito)	Condicional perf. (Bello : Antepospretérito)
vendría	habría venido
vendrías	habrías venido
vendría	habría venido
vendríamos	habríamos venido
vendríais	habríais venido
vendrían	habrían venido

SUBJUNTIVO

Presente (Bello : Presente)	Pret. perf. (Bello : Antepresente)
venga	haya venido
vengas	hayas venido
venga	haya venido
vengamos	hayamos venido
vengáis	hayáis venido
vengan	hayan venido

Pret. imperf. (Bello : Pretérito)	Pret. pluscuamp. (Bello : Antepretérito)
viniera o viniese	hubiera o hubiese venido
vinieras o vinieses	hubieras o hubieses venido
viniera o viniese	hubiera o hubiese venido
viniéramos o viniésemos	hubiéramos o hubiésemos venido
vinierais o vinieseis	hubierais o hubieseis venido
vinieran o viniesen	hubieran o hubiesen venido

Futuro (Bello : Futuro)	Futuro perf. (Bello : Antefuturo)
viniere	hubiere venido
vinieres	hubieres venido
viniere	hubiere venido
viniéremos	hubiéremos venido
viniereis	hubiereis venido
vinieren	hubieren venido

IMPERATIVO

Presente

ven	tú
venga	él
vengamos	nosotros
venid	vosotros
vengan	ellos

FORMAS NO PERSONALES

Infinitivo	Infinitivo compuesto
venir	haber venido
Gerundio	Gerundio compuesto
viniendo	habiendo venido
Participio	
venido	

41

19 sonar

INDICATIVO

Presente (Bello : Presente)		Pret. perf. comp. (Bello : Antepresente)	
sueno		he	sonado
suenas		has	sonado
suena		ha	sonado
sonamos		hemos	sonado
sonáis		habéis	sonado
suenan		han	sonado

Pret. imperf. (Bello : Copretérito)		Pret. pluscuamp. (Bello : Antecopretérito)	
sonaba		había	sonado
sonabas		habías	sonado
sonaba		había	sonado
sonábamos		habíamos	sonado
sonabais		habíais	sonado
sonaban		habían	sonado

Pret. perf. simple (Bello : Pretérito)		Pret. anterior (Bello : Antepretérito)	
soné		hube	sonado
sonaste		hubiste	sonado
sonó		hubo	sonado
sonamos		hubimos	sonado
sonasteis		hubisteis	sonado
sonaron		hubieron	sonado

Futuro (Bello : Futuro)		Futuro perf. (Bello : Antefuturo)	
sonaré		habré	sonado
sonarás		habrás	sonado
sonará		habrá	sonado
sonaremos		habremos	sonado
sonaréis		habréis	sonado
sonarán		habrán	sonado

Condicional (Bello : Pospretérito)		Condicional perf. (Bello : Antepospretérito)	
sonaría		habría	sonado
sonarías		habrías	sonado
sonaría		habría	sonado
sonaríamos		habríamos	sonado
sonaríais		habríais	sonado
sonarían		habrían	sonado

SUBJUNTIVO

Presente (Bello : Presente)		Pret. perf. (Bello : Antepresente)	
suene		haya	sonado
suenes		hayas	sonado
suene		haya	sonado
sonemos		hayamos	sonado
sonéis		hayáis	sonado
suenen		hayan	sonado

Pret. imperf. (Bello : Pretérito)		Pret. pluscuamp. (Bello : Antepretérito)	
sonara		hubiera	
o sonase		o hubiese	sonado
sonaras		hubieras	
o sonases		o hubieses	sonado
sonara		hubiera	
o sonase		o hubiese	sonado
sonáramos		hubiéramos	
o sonásemos		o hubiésemos	sonado
sonarais		hubierais	
o sonaseis		o hubieseis	sonado
sonaran		hubieran	
o sonasen		o hubiesen	sonado

Futuro (Bello : Futuro)		Futuro perf. (Bello : Antefuturo)	
sonare		hubiere	sonado
sonares		hubieres	sonado
sonare		hubiere	sonado
sonáremos		hubiéremos	sonado
sonareis		hubiereis	sonado
sonaren		hubieren	sonado

IMPERATIVO

Presente	
suena	tú
suene	él
sonemos	nosotros
sonad	vosotros
suenen	ellos

FORMAS NO PERSONALES

Infinitivo	Infinitivo compuesto
sonar	haber sonado
Gerundio	Gerundio compuesto
sonando	habiendo sonado
Participio	
sonado	

20 desosar

____ INDICATIVO ____

Presente
(Bello : Presente)

deshueso
deshuesas
deshuesa
desosamos
desosáis
deshuesan

Pret. perf. comp.
(Bello : Antepresente)

he desosado
has desosado
ha desosado
hemos desosado
habéis desosado
han desosado

Pret. imperf.
(Bello : Copretérito)

desosaba
desosabas
desosaba
desosábamos
desosabais
desosaban

Pret. pluscuamp.
(Bello : Antecopretérito)

había desosado
habías desosado
había desosado
habíamos desosado
habíais desosado
habían desosado

Pret. perf. simple
(Bello : Pretérito)

desosé
desosaste
desosó
desosamos
desosasteis
desosaron

Pret. anterior
(Bello : Antepretérito)

hube desosado
hubiste desosado
hubo desosado
hubimos desosado
hubisteis desosado
hubieron desosado

Futuro
(Bello : Futuro)

desosaré
desosarás
desosará
desosaremos
desosaréis
desosarán

Futuro perf.
(Bello : Antefuturo)

habré desosado
habrás desosado
habrá desosado
habremos desosado
habréis desosado
habrán desosado

Condicional
(Bello : Pospretérito)

desosaría
desosarías
desosaría
desosaríamos
desosaríais
desosarían

Condicional perf.
(Bello : Antepospretérito)

habría desosado
habrías desosado
habría desosado
habríamos desosado
habríais desosado
habrían desosado

____ SUBJUNTIVO ____

Presente
(Bello : Presente)

deshuese
deshueses
deshuese
desosemos
desoséis
deshuesen

Pret. perf.
(Bello : Antepresente)

haya desosado
hayas desosado
haya desosado
hayamos desosado
hayáis desosado
hayan desosado

Pret. imperf.
(Bello : Pretérito)

desosara
o desosase
desosaras
o desosases
desosara
o desosase
desosáramos
o desosásemos
desosarais
o desosaseis
desosaran
o desosasen

Pret. pluscuamp.
(Bello : Antepretérito)

hubiera
o hubiese desosado
hubieras
o hubieses desosado
hubiera
o hubiese desosado
hubiéramos
o hubiésemos desosado
hubierais
o hubieseis desosado
hubieran
o hubiesen desosado

Futuro
(Bello : Futuro)

desosare
desosares
desosare
desosáremos
desosareis
desosaren

Futuro perf.
(Bello : Antefuturo)

hubiere desosado
hubieres desosado
hubiere desosado
hubiéremos desosado
hubiereis desosado
hubieren desosado

____ IMPERATIVO ____

Presente

deshuesa tú
deshuese él
desosemos nosotros
desosad vosotros
deshuesen ellos

____ FORMAS NO PERSONALES ____

Infinitivo
desosar

Infinitivo compuesto
haber desosado

Gerundio
desosando

Gerundio compuesto
habiendo desosado

Participio
desosado

21 volver

___ INDICATIVO ___

Presente	Pret. perf. comp.
(Bello : Presente)	(Bello : Antepresente)

vuelvo	he	vuelto
vuelves	has	vuelto
vuelve	ha	vuelto
volvemos	hemos	vuelto
volvéis	habéis	vuelto
vuelven	han	vuelto

Pret. imperf.	Pret. pluscuamp.
(Bello : Copretérito)	(Bello : Antecopretérito)

volvía	había	vuelto
volvías	habías	vuelto
volvía	había	vuelto
volvíamos	habíamos	vuelto
volvíais	habíais	vuelto
volvían	habían	vuelto

Pret. perf. simple	Pret. anterior
(Bello : Pretérito)	(Bello : Antepretérito)

volví	hube	vuelto
volviste	hubiste	vuelto
volvió	hubo	vuelto
volvimos	hubimos	vuelto
volvisteis	hubisteis	vuelto
volvieron	hubieron	vuelto

Futuro	Futuro perf.
(Bello : Futuro)	(Bello : Antefuturo)

volveré	habré	vuelto
volverás	habrás	vuelto
volverá	habrá	vuelto
volveremos	habremos	vuelto
volveréis	habréis	vuelto
volverán	habrán	vuelto

Condicional	Condicional perf.
(Bello : Pospretérito)	(Bello : Antepospretérito)

volvería	habría	vuelto
volverías	habrías	vuelto
volvería	habría	vuelto
volveríamos	habríamos	vuelto
volveríais	habríais	vuelto
volverían	habrían	vuelto

___ SUBJUNTIVO ___

Presente	Pret. perf.
(Bello : Presente)	(Bello : Antepresente)

vuelva	haya	vuelto
vuelvas	hayas	vuelto
vuelva	haya	vuelto
volvamos	hayamos	vuelto
volváis	hayáis	vuelto
vuelvan	hayan	vuelto

Pret. imperf.	Pret. pluscuamp.
(Bello : Pretérito)	(Bello : Antepretérito)

volviera	hubiera	
o volviese	o hubiese	vuelto
volvieras	hubieras	
o volvieses	o hubieses	vuelto
volviera	hubiera	
o volviese	o hubiese	vuelto
volviéramos	hubiéramos	
o volviésemos	o hubiésemos	vuelto
volvierais	hubierais	
o volvieseis	o hubieseis	vuelto
volvieran	hubieran	
o volviesen	o hubiesen	vuelto

Futuro	Futuro perf.
(Bello : Futuro)	(Bello : Antefuturo)

volviere	hubiere	vuelto
volvieres	hubieres	vuelto
volviere	hubiere	vuelto
volviéremos	hubiéremos	vuelto
volviereis	hubiereis	vuelto
volvieren	hubieren	vuelto

___ IMPERATIVO ___

Presente

vuelve	tú
vuelva	él
volvamos	nosotros
volved	vosotros
vuelvan	ellos

___ FORMAS NO PERSONALES ___

Infinitivo	Infinitivo compuesto
volver	haber vuelto
Gerundio	Gerundio compuesto
volviendo	habiendo vuelto
Participio	
vuelto	

22 moler

Presente (Bello : Presente)	Pret. perf. comp. (Bello : Antepresente)		Presente (Bello : Presente)	Pret. perf. (Bello : Antepresente)	
muelo	he	molido	muela	haya	molido
mueles	has	molido	muelas	hayas	molido
muele	ha	molido	muela	haya	molido
molemos	hemos	molido	molamos	hayamos	molido
moléis	habéis	molido	moláis	hayáis	molido
muelen	han	molido	muelan	hayan	molido

Pret. imperf. (Bello : Copretérito)	Pret. pluscuamp. (Bello : Antecopretérito)		Pret. imperf. (Bello : Pretérito)	Pret. pluscuamp. (Bello : Antepretérito)	
molía	había	molido	moliera	hubiera	
molías	habías	molido	o moliese	o hubiese	molido
molía	había	molido	molieras	hubieras	
molíamos	habíamos	molido	o molieses	o hubieses	molido
molíais	habíais	molido	moliera	hubiera	
molían	habían	molido	o moliese	o hubiese	molido
			moliéramos	hubiéramos	
			o moliésemos	o hubiésemos	molido
			molierais	hubierais	
			o molieseis	o hubieseis	molido
			molieran	hubieran	
			o moliesen	o hubiesen	molido

Pret. perf. simple (Bello : Pretérito)	Pret. anterior (Bello : Antepretérito)	
molí	hube	molido
moliste	hubiste	molido
molió	hubo	molido
molimos	hubimos	molido
molisteis	hubisteis	molido
molieron	hubieron	molido

Futuro (Bello : Futuro)	Futuro perf. (Bello : Antefuturo)	
moliere	hubiere	molido
molieres	hubieres	molido
moliere	hubiere	molido
moliéremos	hubiéremos	molido
moliereis	hubiereis	molido
molieren	hubieren	molido

Futuro (Bello : Futuro)	Futuro perf. (Bello : Antefuturo)	
moleré	habré	molido
molerás	habrás	molido
molerá	habrá	molido
moleremos	habremos	molido
moleréis	habréis	molido
molerán	habrán	molido

Presente

muele	tú
muela	él
molamos	nosotros
moled	vosotros
muelan	ellos

Infinitivo	Infinitivo compuesto
moler	haber molido
Gerundio	Gerundio compuesto
moliendo	habiendo molido
Participio	
molido	

Condicional (Bello : Pospretérito)	Condicional perf. (Bello : Antepospretérito)	
molería	habría	molido
molerías	habrías	molido
molería	habría	molido
moleríamos	habríamos	molido
moleríais	habríais	molido
molerían	habrían	molido

23 cocer

Presente (Bello : Presente)	Pret. perf. comp. (Bello : Antepresente)	
cuezo	he	cocido
cueces	has	cocido
cuece	ha	cocido
cocemos	hemos	cocido
cocéis	habéis	cocido
cuecen	han	cocido

Pret. imperf. (Bello : Copretérito)	Pret. pluscuamp. (Bello : Antecopretérito)	
cocía	había	cocido
cocías	habías	cocido
cocía	había	cocido
cocíamos	habíamos	cocido
cocíais	habíais	cocido
cocían	habían	cocido

Pret. perf. simple (Bello : Pretérito)	Pret. anterior (Bello : Antepretérito)	
cocí	hube	cocido
cociste	hubiste	cocido
coció	hubo	cocido
cocimos	hubimos	cocido
cocisteis	hubisteis	cocido
cocieron	hubieron	cocido

Futuro (Bello : Futuro)	Futuro perf. (Bello : Antefuturo)	
coceré	habré	cocido
cocerás	habrás	cocido
cocerá	habrá	cocido
coceremos	habremos	cocido
coceréis	habréis	cocido
cocerán	habrán	cocido

Condicional (Bello : Pospretérito)	Condicional perf. (Bello : Antepospretérito)	
cocería	habría	cocido
cocerías	habrías	cocido
cocería	habría	cocido
coceríamos	habríamos	cocido
coceríais	habríais	cocido
cocerían	habrían	cocido

Presente (Bello : Presente)	Pret. perf. (Bello : Antepresente)	
cueza	haya	cocido
cuezas	hayas	cocido
cueza	haya	cocido
cozamos	hayamos	cocido
cozáis	hayáis	cocido
cuezan	hayan	cocido

Pret. imperf. (Bello : Pretérito)	Pret. pluscuamp. (Bello : Antepretérito)	
cociera	hubiera	
o cociese	o hubiese	cocido
cocieras	hubieras	
o cocieses	o hubieses	cocido
cociera	hubiera	
o cociese	o hubiese	cocido
cociéramos	hubiéramos	
o cociésemos	o hubiésemos	cocido
cocierais	hubierais	
o cocieseis	o hubieseis	cocido
cocieran	hubieran	
o cociesen	o hubiesen	cocido

Futuro (Bello : Futuro)	Futuro perf. (Bello : Antefuturo)	
cociere	hubiere	cocido
cocieres	hubieres	cocido
cociere	hubiere	cocido
cociéremos	hubiéremos	cocido
cociereis	hubiereis	cocido
cocieren	hubieren	cocido

IMPERATIVO

Presente

cuece	tú
cueza	él
cozamos	nosotros
coced	vosotros
cuezan	ellos

FORMAS NO PERSONALES

Infinitivo	Infinitivo compuesto
cocer	haber cocido
Gerundio	**Gerundio compuesto**
cociendo	habiendo cocido
Participio	
cocido	

24 oler

Presente (Bello : Presente)		Pret. perf. comp. (Bello : Antepresente)	
huelo		he	olido
hueles		has	olido
huele		ha	olido
olemos		hemos	olido
oléis		habéis	olido
huelen		han	olido

Pret. imperf. (Bello : Copretérito)		Pret. pluscuamp. (Bello : Antecopretérito)	
olía		había	olido
olías		habías	olido
olía		había	olido
olíamos		habíamos	olido
olíais		habíais	olido
olían		habían	olido

Pret. perf. simple (Bello : Pretérito)		Pret. anterior (Bello : Antepretérito)	
olí		hube	olido
oliste		hubiste	olido
olió		hubo	olido
olimos		hubimos	olido
olisteis		hubisteis	olido
olieron		hubieron	olido

Futuro (Bello : Futuro)		Futuro perf. (Bello : Antefuturo)	
oleré		habré	olido
olerás		habrás	olido
olerá		habrá	olido
oleremos		habremos	olido
oleréis		habréis	olido
olerán		habrán	olido

Condicional (Bello : Pospretérito)		Condicional perf. (Bello : Antepospretérito)	
olería		habría	olido
olerías		habrías	olido
olería		habría	olido
oleríamos		habríamos	olido
oleríais		habríais	olido
olerían		habrían	olido

Presente (Bello : Presente)		Pret. perf. (Bello : Antepresente)	
huela		haya	olido
huelas		hayas	olido
huela		haya	olido
olamos		hayamos	olido
oláis		hayáis	olido
huelan		hayan	olido

Pret. imperf. (Bello : Pretérito)		Pret. pluscuamp. (Bello : Antepretérito)	
oliera		hubiera	
u oliese		o hubiese	olido
olieras		hubieras	
u olieses		o hubieses	olido
oliera		hubiera	
u oliese		o hubiese	olido
oliéramos		hubiéramos	
u oliésemos		o hubiésemos	olido
olierais		hubierais	
u olieseis		o hubieseis	olido
olieran		hubieran	
u oliesen		o hubiesen	olido

Futuro (Bello : Futuro)		Futuro perf. (Bello : Antefuturo)	
oliere		hubiere	olido
olieres		hubieres	olido
oliere		hubiere	olido
oliéremos		hubiéremos	olido
oliereis		hubiereis	olido
olieren		hubieren	olido

Presente

huele	tú
huela	él
olamos	nosotros
oled	vosotros
huelan	ellos

Infinitivo	Infinitivo compuesto
oler	haber olido
Gerundio	**Gerundio compuesto**
oliendo	habiendo olido
Participio	
olido	

25 mover

Presente
(Bello : Presente)

muevo
mueves
mueve
movemos
movéis
mueven

Pret. perf. comp.
(Bello : Antepresente)

he movido
has movido
ha movido
hemos movido
habéis movido
han movido

Presente
(Bello : Presente)

mueva
muevas
mueva
movamos
mováis
muevan

Pret. perf.
(Bello : Antepresente)

haya movido
hayas movido
haya movido
hayamos movido
hayáis movido
hayan movido

Pret. imperf.
(Bello : Copretérito)

movía
movías
movía
movíamos
movíais
movían

Pret. pluscuamp.
(Bello : Antecopretérito)

había movido
habías movido
había movido
habíamos movido
habíais movido
habían movido

Pret. imperf.
(Bello : Pretérito)

moviera
o moviese
movieras
o movieses
moviera
o moviese
moviéramos
o moviésemos
movierais
o movieseis
movieran
o moviesen

Pret. pluscuamp.
(Bello : Antepretérito)

hubiera
o hubiese movido
hubieras
o hubieses movido
hubiera
o hubiese movido
hubiéramos
o hubiésemos movido
hubierais
o hubieseis movido
hubieran
o hubiesen movido

Pret. perf. simple
(Bello : Pretérito)

moví
moviste
movió
movimos
movisteis
movieron

Pret. anterior
(Bello : Antepretérito)

hube movido
hubiste movido
hubo movido
hubimos movido
hubisteis movido
hubieron movido

Futuro
(Bello : Futuro)

moviere
movieres
moviere
moviéremos
moviereis
movieren

Futuro perf.
(Bello : Antefuturo)

hubiere movido
hubieres movido
hubiere movido
hubiéremos movido
hubiereis movido
hubieren movido

Futuro
(Bello : Futuro)

moveré
moverás
moverá
moveremos
moveréis
moverán

Futuro perf.
(Bello : Antefuturo)

habré movido
habrás movido
habrá movido
habremos movido
habréis movido
habrán movido

Presente

mueve tú
mueva él
movamos nosotros
moved vosotros
muevan ellos

Condicional
(Bello : Pospretérito)

movería
moverías
movería
moveríamos
moveríais
moverían

Condicional perf.
(Bello : Antepospretérito)

habría movido
habrías movido
habría movido
habríamos movido
habríais movido
habrían movido

Infinitivo
mover

Infinitivo compuesto
haber movido

Gerundio
moviendo

Gerundio compuesto
habiendo movido

Participio
movido

26 poder

INDICATIVO

Presente (Bello : Presente)		Pret. perf. comp. (Bello : Antepresente)	
puedo		he	podido
puedes		has	podido
puede		ha	podido
podemos		hemos	podido
podéis		habéis	podido
pueden		han	podido

Pret. imperf. (Bello : Copretérito)		Pret. pluscuamp. (Bello : Antecopretérito)	
podía		había	podido
podías		habías	podido
podía		había	podido
podíamos		habíamos	podido
podíais		habíais	podido
podían		habían	podido

Pret. perf. simple (Bello : Pretérito)		Pret. anterior (Bello : Antepretérito)	
pude		hube	podido
pudiste		hubiste	podido
pudo		hubo	podido
pudimos		hubimos	podido
pudisteis		hubisteis	podido
pudieron		hubieron	podido

Futuro (Bello : Futuro)		Futuro perf. (Bello : Antefuturo)	
podré		habré	podido
podrás		habrás	podido
podrá		habrá	podido
podremos		habremos	podido
podréis		habréis	podido
podrán		habrán	podido

Condicional (Bello : Pospretérito)		Condicional perf. (Bello : Antepospretérito)	
podría		habría	podido
podrías		habrías	podido
podría		habría	podido
podríamos		habríamos	podido
podríais		habríais	podido
podrían		habrían	podido

SUBJUNTIVO

Presente (Bello : Presente)		Pret. perf. (Bello : Antepresente)	
pueda		haya	podido
puedas		hayas	podido
pueda		haya	podido
podamos		hayamos	podido
podáis		hayáis	podido
puedan		hayan	podido

Pret. imperf. (Bello : Pretérito)		Pret. pluscua...p. (Bello : Antepretérito)	
pudiera		hubiera	
o pudiese		o hubiese	podido
pudieras		hubieras	
o pudieses		o hubieses	podido
pudiera		hubiera	
o pudiese		o hubiese	podido
pudiéramos		hubiéramos	
o pudiésemos		o hubiésemos	podido
pudierais		hubierais	
o pudieseis		o hubieseis	podido
pudieran		hubieran	
o pudiesen		o hubiesen	podido

Futuro (Bello : Futuro)		Futuro perf. (Bello : Antefuturo)	
pudiere		hubiere	podido
pudieres		hubieres	podido
pudiere		hubiere	podido
pudiéremos		hubiéremos	podido
pudiereis		hubiereis	podido
pudieren		hubieren	podido

IMPERATIVO

Presente

puede	tú
pueda	él
podamos	nosotros
poded	vosotros
puedan	ellos

FORMAS NO PERSONALES

Infinitivo	Infinitivo compuesto
poder	haber podido

Gerundio	Gerundio compuesto
pudiendo	habiendo podido

Participio
podido

27 sentir

Presente
(Bello : Presente)

siento
sientes
siente
sentimos
sentís
sienten

Pret. perf. comp.
(Bello : Antepresente)

he sentido
has sentido
ha sentido
hemos sentido
habéis sentido
han sentido

Pret. imperf.
(Bello : Copretérito)

sentía
sentías
sentía
sentíamos
sentíais
sentían

Pret. pluscuamp.
(Bello : Antecopretérito)

había sentido
habías sentido
había sentido
habíamos sentido
habíais sentido
habían sentido

Pret. perf. simple
(Bello : Pretérito)

sentí
sentiste
sintió
sentimos
sentisteis
sintieron

Pret. anterior
(Bello : Antepretérito)

hube sentido
hubiste sentido
hubo sentido
hubimos sentido
hubisteis sentido
hubieron sentido

Futuro
(Bello : Futuro)

sentiré
sentirás
sentirá
sentiremos
sentiréis
sentirán

Futuro perf.
(Bello : Antefuturo)

habré sentido
habrás sentido
habrá sentido
habremos sentido
habréis sentido
habrán sentido

Condicional
(Bello : Pospretérito)

sentiría
sentirías
sentiría
sentiríamos
sentiríais
sentirían

Condicional perf.
(Bello : Antepospretérito)

habría sentido
habrías sentido
habría sentido
habríamos sentido
habríais sentido
habrían sentido

SUBJUNTIVO

Presente
(Bello : Presente)

sienta
sientas
sienta
sintamos
sintáis
sientan

Pret. perf.
(Bello : Antepresente)

haya sentido
hayas sentido
haya sentido
hayamos sentido
hayáis sentido
hayan sentido

Pret. imperf.
(Bello : Pretérito)

sintiera
o sintiese
sintieras
o sintieses
sintiera
o sintiese
sintiéramos
o sintiésemos
sintierais
o sintieseis
sintieran
o sintiesen

Pret. pluscuamp.
(Bello : Antepretérito)

hubiera
o hubiese sentido
hubieras
o hubieses sentido
hubiera
o hubiese sentido
hubiéramos
o hubiésemos sentido
hubierais
o hubieseis sentido
hubieran
o hubiesen sentido

Futuro
(Bello : Futuro)

sintiere
sintieres
sintiere
sintiéremos
sintiereis
sintieren

Futuro perf.
(Bello : Antefuturo)

hubiere sentido
hubieres sentido
hubiere sentido
hubiéremos sentido
hubiereis sentido
hubieren sentido

IMPERATIVO

Presente

siente tú
sienta él
sintamos nosotros
sentid vosotros
sientan ellos

FORMAS NO PERSONALES

Infinitivo
sentir

Infinitivo compuesto
haber sentido

Gerundio
sintiendo

Gerundio compuesto
habiendo sentido

Participio
sentido

28 erguir

___ INDICATIVO ___

Presente
(Bello : Presente)

irgo   o yergo
irgues   o yergues
irgue   o yergue
erguimos
erguís
irguen   o yerguen

Pret. perf. comp.
(Bello : Antepresente)

he   erguido
has   erguido
ha   erguido
hemos   erguido
habéis   erguido
han   erguido

Pret. imperf.
(Bello : Copretérito)

erguía
erguías
erguía
erguíamos
erguíais
erguían

Pret. pluscuamp.
(Bello : Antecopretérito)

había   erguido
habías   erguido
había   erguido
habíamos   erguido
habíais   erguido
habían   erguido

Pret. perf. simple
(Bello : Pretérito)

erguí
erguiste
irguió
erguimos
erguisteis
irguieron

Pret. anterior
(Bello : Antepretérito)

hube   erguido
hubiste   erguido
hubo   erguido
hubimos   erguido
hubisteis   erguido
hubieron   erguido

Futuro
(Bello : Futuro)

erguiré
erguirás
erguirá
erguiremos
erguiréis
erguirán

Futuro perf.
(Bello : Antefuturo)

habré   erguido
habrás   erguido
habrá   erguido
habremos   erguido
habréis   erguido
habrán   erguido

Condicional
(Bello : Pospretérito)

erguiría
erguirías
erguiría
erguiríamos
erguiríais
erguirían

Condicional perf.
(Bello : Antepospretérito)

habría   erguido
habrías   erguido
habría   erguido
habríamos   erguido
habríais   erguido
habrían   erguido

___ SUBJUNTIVO ___

Presente
(Bello : Presente)

irga   o yerga
irgas   o yergas
irga   o yerga
irgamos   o yergamos
irgáis   o yergáis
irgan   o yergan

Pret. perf.
(Bello : Antepresente)

haya   erguido
hayas   erguido
haya   erguido
hayamos   erguido
hayáis   erguido
hayan   erguido

Pret. imperf.
(Bello : Pretérito)

irguiera
o irguiese
irguieras
o irguieses
irguiera
o irguiese
irguiéramos
o irguiésemos
irguierais
o irguieseis
irguieran
o irguiesen

Pret. pluscuamp.
(Bello : Antepretérito)

hubiera
o hubiese   erguido
hubieras
o hubieses   erguido
hubiera
o hubiese   erguido
hubiéramos
o hubiésemos   erguido
hubierais
o hubieseis   erguido
hubieran
o hubiesen   erguido

Futuro
(Bello : Futuro)

irguiere
irguieres
irguiere
irguiéremos
irguiereis
irguieren

Futuro perf.
(Bello : Antefuturo)

hubiere   erguido
hubieres   erguido
hubiere   erguido
hubiéremos   erguido
hubiereis   erguido
hubieren   erguido

___ IMPERATIVO ___

Presente

irgue   o yergue   tú
irga   o yerga   él
irgamos   o yergamos   nosotros
erguid   vosotros
irgan   o yergan   ellos

___ FORMAS NO PERSONALES ___

Infinitivo
erguir

Infinitivo compuesto
haber erguido

Gerundio
irguiendo

Gerundio compuesto
habiendo erguido

Participio
erguido

29 dormir

Presente
(Bello : Presente)

duermo
duermes
duerme
dormimos
dormís
duermen

Pret. perf. comp.
(Bello : Antepresente)

he   dormido
has   dormido
ha   dormido
hemos   dormido
habéis   dormido
han   dormido

Pret. imperf.
(Bello : Copretérito)

dormía
dormías
dormía
dormíamos
dormíais
dormían

Pret. pluscuamp.
(Bello : Antecopretérito)

había   dormido
habías   dormido
había   dormido
habíamos dormido
habíais   dormido
habían   dormido

Pret. perf. simple
(Bello : Pretérito)

dormí
dormiste
durmió
dormimos
dormisteis
durmieron

Pret. anterior
(Bello : Antepretérito)

hube   dormido
hubiste   dormido
hubo   dormido
hubimos   dormido
hubisteis dormido
hubieron dormido

Futuro
(Bello : Futuro)

dormiré
dormirás
dormirá
dormiremos
dormiréis
dormirán

Futuro perf.
(Bello : Antefuturo)

habré   dormido
habrás   dormido
habrá   dormido
habremos dormido
habréis   dormido
habrán   dormido

Condicional
(Bello : Pospretérito)

dormiría
dormirías
dormiría
dormiríamos
dormiríais
dormirían

Condicional perf.
(Bello : Antepospretérito)

habría   dormido
habrías   dormido
habría   dormido
habríamos dormido
habríais dormido
habrían   dormido

SUBJUNTIVO

Presente
(Bello : Presente)

duerma
duermas
duerma
durmamos
durmáis
duerman

Pret. perf.
(Bello : Antepresente)

haya   dormido
hayas   dormido
haya   dormido
hayamos dormido
hayáis   dormido
hayan   dormido

Pret. imperf.
(Bello : Pretérito)

durmiera
o durmiese
durmieras
o durmieses
durmiera
o durmiese
durmiéramos
o durmiésemos
durmierais
o durmieseis
durmieran
o durmiesen

Pret. pluscuamp.
(Bello : Antepretérito)

hubiera
o hubiese   dormido
hubieras
o hubieses   dormido
hubiera
o hubiese   dormido
hubiéramos
o hubiésemos dormido
hubierais
o hubieseis   dormido
hubieran
o hubiesen   dormido

Futuro
(Bello : Futuro)

durmiere
durmieres
durmiere
durmiéremos
durmiereis
durmieren

Futuro perf.
(Bello : Antefuturo)

hubiere   dormido
hubieres   dormido
hubiere   dormido
hubiéremos dormido
hubiereis dormido
hubieren   dormido

IMPERATIVO

Presente

duerme   tú
duerma   él
durmamos nosotros
dormid   vosotros
duerman   ellos

FORMAS NO PERSONALES

Infinitivo
dormir

Infinitivo compuesto
haber dormido

Gerundio
durmiendo

Gerundio compuesto
habiendo dormido

Participio
dormido

30 adquirir

___ INDICATIVO ___

Presente
(Bello : Presente)

adquiero
adquieres
adquiere
adquirimos
adquirís
adquieren

Pret. perf. comp.
(Bello : Antepresente)

he adquirido
has adquirido
ha adquirido
hemos adquirido
habéis adquirido
han adquirido

Pret. imperf.
(Bello : Copretérito)

adquiría
adquirías
adquiría
adquiríamos
adquiríais
adquirían

Pret. pluscuamp.
(Bello : Antecopretérito)

había adquirido
habías adquirido
había adquirido
habíamos adquirido
habíais adquirido
nábían adquirido

Pret. perf. simple
(Bello : Pretérito)

adquirí
adquiriste
adquirió
adquirimos
adquiristeis
adquirieron

Pret. anterior
(Bello : Antepretérito)

hube adquirido
hubiste adquirido
hubo adquirido
hubimos adquirido
hubisteis adquirido
hubieron adquirido

Futuro
(Bello : Futuro)

adquiriré
adquirirás
adquirirá
adquiriremos
adquiriréis
adquirirán

Futuro perf.
(Bello : Antefuturo)

habré adquirido
habrás adquirido
habrá adquirido
habremos adquirido
habréis adquirido
habrán adquirido

Condicional
(Bello : Pospretérito)

adquiriría
adquirirías
adquiriría
adquiriríamos
adquiriríais
adquirirían

Condicional perf.
(Bello : Antepospretérito)

habría adquirido
habrías adquirido
habría adquirido
habríamos adquirido
habríais adquirido
habrían adquirido

___ SUBJUNTIVO ___

Presente
(Bello : Presente)

adquiera
adquieras
adquiera
adquiramos
adquiráis
adquieran

Pret. perf.
(Bello : Antepresente)

haya adquirido
hayas adquirido
haya adquirido
hayamos adquirido
hayáis adquirido
hayan adquirido

Pret. imperf.
(Bello : Pretérito)

adquiriera
o adquiriese
adquirieras
o adquirieses
adquiriera
o adquiriese
adquiriéramos
o adquiriésemos
adquirierais
o adquirieseis
adquirieran
o adquiriesen

Pret. pluscuamp.
(Bello : Antepretérito)

hubiera
o hubiese adquirido
hubieras
o hubieses adquirido
hubiera
o hubiese adquirido
hubiéramos
o hubiésemos adquirido
hubierais
o hubieseis adquirido
hubieran
o hubiesen adquirido

Futuro
(Bello : Futuro)

adquiriere
adquirieres
adquiriere
adquiriéremos
adquiriereis
adquirieren

Futuro perf.
(Bello : Antefuturo)

hubiere adquirido
hubieres adquirido
hubiere adquirido
hubiéremos adquirido
hubiereis adquirido
hubieren adquirido

___ IMPERATIVO ___

Presente

adquiere tú
adquiera él
adquiramos nosotros
adquirid vosotros
adquieran ellos

___ FORMAS NO PERSONALES ___

Infinitivo
adquirir

Infinitivo compuesto
haber adquirido

Gerundio
adquiriendo

Gerundio compuesto
habiendo adquirido

Participio
adquirido

31 podrir o pudrir

INDICATIVO

Presente (Bello : Presente)		Pret. perf. comp. (Bello : Antepresente)	
pudro		he	podrido
pudres		has	podrido
pudre		ha	podrido
pudrimos		hemos	podrido
pudrís		habéis	podrido
pudren		han	podrido

Pret. imperf. (Bello : Copretérito)		Pret. pluscuamp. (Bello : Antecopretérito)	
pudría		había	podrido
pudrías		habías	podrido
pudría		había	podrido
pudríamos		habíamos	podrido
pudríais		habíais	podrido
pudrían		habían	podrido

Pret. perf. simple (Bello : Pretérito)		Pret. anterior (Bello : Antepretérito)	
pudrí*		hube	podrido
pudriste		hubiste	podrido
pudrió		hubo	podrido
pudrimos		hubimos	podrido
pudristeis		hubisteis	podrido
pudrieron		hubieron	podrido

Futuro (Bello : Futuro)		Futuro perf. (Bello : Antefuturo)	
pudriré**		habré	podrido
pudrirás		habrás	podrido
pudrirá		habrá	podrido
pudriremos		habremos	podrido
pudriréis		habréis	podrido
pudrirán		habrán	podrido

Condicional (Bello : Pospretérito)		Condicional perf. (Bello : Antepospretérito)	
pudriría***		habría	podrido
pudrirías		habrías	podrido
pudriría		habría	podrido
pudriríamos		habríamos	podrido
pudriríais		habríais	podrido
pudrirían		habrían	podrido

* o podrí, podriste, etc.
**. o podriré, podrirás, etc.
*** o podriría, podrirías, etc.

SUBJUNTIVO

Presente (Bello : Presente)		Pret. perf. (Bello : Antepresente)	
pudra		haya	podrido
pudras		hayas	podrido
pudra		haya	podrido
pudramos		hayamos	podrido
pudráis		hayáis	podrido
pudran		hayan	podrido

Pret. imperf. (Bello : Pretérito)		Pret. pluscuamp. (Bello : Antepretérito)	
pudriera		hubiera	
o pudriese		o hubiese	podrido
pudrieras		hubieras	
o pudrieses		o hubieses	podrido
pudriera		hubiera	
o pudriese		o hubiese	podrido
pudriéramos		hubiéramos	
o pudriésemos		o hubiésemos	podrido
pudrierais		hubierais	
o pudrieseis		o hubieseis	podrido
pudrieran		hubieran	
o pudriesen		o hubiesen	podrido

Futuro (Bello : Futuro)		Futuro perf. (Bello : Antefuturo)	
pudriere		hubiere	podrido
pudrieres		hubieres	podrido
pudriere		hubiere	podrido
pudriéremos		hubiéremos	podrido
pudriereis		hubiereis	podrido
pudrieren		hubieren	podrido

IMPERATIVO

Presente

pudre	tú
pudra	él
pudramos	nosotros
pudrid o podrid	vosotros
pudran	ellos

FORMAS NO PERSONALES

Infinitivo	Infinitivo compuesto
podrir o pudrir	haber podrido
Gerundio	Gerundio compuesto
pudriendo	habiendo podrido
Participio	
podrido	

32 jugar

Presente
(Bello : Presente)

juego
juegas
juega
jugamos
jugáis
juegan

Pret. perf. comp.
(Bello : Antepresente)

he jugado
has jugado
ha jugado
hemos jugado
habéis jugado
han jugado

Pret. imperf.
(Bello : Copretérito)

jugaba
jugabas
jugaba
jugábamos
jugabais
jugaban

Pret. pluscuamp.
(Bello : Antecopretérito)

había jugado
habías jugado
había jugado
habíamos jugado
habíais jugado
habían jugado

Pret. perf. simple
(Bello : Pretérito)

jugué
jugaste
jugó
jugamos
jugasteis
jugaron

Pret. anterior
(Bello : Antepretérito)

hube jugado
hubiste jugado
hubo jugado
hubimos jugado
hubisteis jugado
hubieron jugado

Futuro
(Bello : Futuro)

jugaré
jugarás
jugará
jugaremos
jugaréis
jugarán

Futuro perf.
(Bello : Antefuturo)

habré jugado
habrás jugado
habrá jugado
habremos jugado
habréis jugado
habrán jugado

Condicional
(Bello : Pospretérito)

jugaría
jugarías
jugaría
jugaríamos
jugaríais
jugarían

Condicional perf.
(Bello : Antepospretérito)

habría jugado
habrías jugado
habría jugado
habríamos jugado
habríais jugado
habrían jugado

SUBJUNTIVO

Presente
(Bello : Presente)

juegue
juegues
juegue
juguemos
juguéis
jueguen

Pret. perf.
(Bello : Antepresente)

haya jugado
hayas jugado
haya jugado
hayamos jugado
hayáis jugado
hayan jugado

Pret. imperf.
(Bello : Pretérito)

jugara
o jugase
jugaras
o jugases
jugara
o jugase
jugáramos
o jugásemos
jugarais
o jugaseis
jugaran
o jugasen

Pret. pluscuamp.
(Bello : Antepretérito)

hubiera
o hubiese jugado
hubieras
o hubieses jugado
hubiera
o hubiese jugado
hubiéramos
o hubiésemos jugado
hubierais
o hubieseis jugado
hubieran
o hubiesen jugado

Futuro
(Bello : Futuro)

jugare
jugares
jugare
jugáremos
jugareis
jugaren

Futuro perf.
(Bello : Antefuturo)

hubiere jugado
hubieres jugado
hubiere jugado
hubiéremos jugado
hubiereis jugado
hubieren jugado

IMPERATIVO

Presente

juega tú
juegue él
juguemos nosotros
jugad vosotros
jueguen ellos

FORMAS NO PERSONALES

Infinitivo
jugar

Infinitivo compuesto
haber jugado

Gerundio
jugando

Gerundio compuesto
habiendo jugado

Participio
jugado

33 hacer

—— INDICATIVO ——

Presente (Bello : Presente)	Pret. perf. comp. (Bello : Antepresente)	
hago	he	hecho
haces	has	hecho
hace	ha	hecho
hacemos	hemos	hecho
hacéis	habéis	hecho
hacen	han	hecho

Pret. imperf. (Bello : Copretérito)	Pret. pluscuamp. (Bello : Antecopretérito)	
hacía	había	hecho
hacías	habías	hecho
hacía	había	hecho
hacíamos	habíamos	hecho
hacíais	habíais	hecho
hacían	habían	hecho

Pret. perf. simple (Bello : Pretérito)	Pret. anterior (Bello : Antepretérito)	
hice	hube	hecho
hiciste	hubiste	hecho
hizo	hubo	hecho
hicimos	hubimos	hecho
hicisteis	hubisteis	hecho
hicieron	hubieron	hecho

Futuro (Bello : Futuro)	Futuro perf. (Bello : Antefuturo)	
haré	habré	hecho
harás	habrás	hecho
hará	habrá	hecho
haremos	habremos	hecho
haréis	habréis	hecho
harán	habrán	hecho

Condicional (Bello : Pospretérito)	Condicional perf. (Bello : Antepospretérito)	
haría	habría	hecho
harías	habrías	hecho
haría	habría	hecho
haríamos	habríamos	hecho
haríais	habríais	hecho
harían	habrían	hecho

—— SUBJUNTIVO ——

Presente (Bello : Presente)	Pret. perf. (Bello : Antepresente)	
haga	haya	hecho
hagas	hayas	hecho
haga	haya	hecho
hagamos	hayamos	hecho
hagáis	hayáis	hecho
hagan	hayan	hecho

Pret. imperf. (Bello : Pretérito)	Pret. pluscuamp. (Bello : Antepretérito)	
hiciera	hubiera	
o hiciese	o hubiese	hecho
hicieras	hubieras	
o hicieses	o hubieses	hecho
hiciera	hubiera	
o hiciese	o hubiese	hecho
hiciéramos	hubiéramos	
o hiciésemos	o hubiésemos	hecho
hicierais	hubierais	
o hicieseis	o hubieseis	hecho
hicieran	hubieran	
o hiciesen	o hubiesen	hecho

Futuro (Bello : Futuro)	Futuro perf. (Bello : Antefuturo)	
hiciere	hubiere	hecho
hicieres	hubieres	hecho
hiciere	hubiere	hecho
hiciéremos	hubiéremos	hecho
hiciereis	hubiereis	hecho
hicieren	hubieren	hecho

—— IMPERATIVO ——

Presente

haz	tú
haga	él
hagamos	nosotros
haced	vosotros
hagan	ellos

—— FORMAS NO PERSONALES ——

Infinitivo	Infinitivo compuesto
hacer	haber hecho
Gerundio	**Gerundio compuesto**
haciendo	habiendo hecho
Participio	
hecho	

34 yacer

___ INDICATIVO___

Presente (Bello : Presente)	Pret. perf. comp. (Bello : Antepresente)	
yazco*	he	yacido
yaces	has	yacido
yace	ha	yacido
yacemos	hemos	yacido
yacéis	habéis	yacido
yacen	han	yacido

Pret. imperf. (Bello : Copretérito)	Pret. pluscuamp. (Bello : Antecopretérito)	
yacía	había	yacido
yacías⁻	habías	yacido
yacía	había	yacido
yacíamos	habíamos	yacido
yacíais	habíais	yacido
yacían	habían	yacido

Pret. perf. simple (Bello : Pretérito)	Pret. anterior (Bello : Antepretérito)	
yací	hube	yacido
yaciste	hubiste	yacido
yació	hubo	yacido
yacimos	hubimos	yacido
yacisteis	hubisteis	yacido
yacieron	hubieron	yacido

Futuro (Bello : Futuro)	Futuro perf (Bello : Antefuturo)	
yaceré	habré	yacido
yacerás	habrás	yacido
yacerá	habrá	yacido
yaceremos	habremos	yacido
yaceréis	habréis	yacido
yacerán	habrán	yacido

Condicional (Bello : Pospretérito)	Condicional perf. (Bello : Antepospretérito)	
yacería	habría	yacido
yacerías	habrías	yacido
yacería	habría	yacido
yaceríamos	habríamos	yacido
yaceríais	habríais	yacido
yacerían	habrían	yacido

___ SUBJUNTIVO___

Presente (Bello : Presente)	Pret. perf. (Bello : Antepresente)	
yazca**	haya	yacido
yazcas	hayas	yacido
yazca	haya	yacido
yazcamos	hayamos	yacido
yazcáis	hayáis	yacido
yazcan	hayan	yacido

Pret. imperf. (Bello : Pretérito)	Pret. pluscuamp. (Bello : Antepretérito)	
yaciera	hubiera	
o yaciese	o hubiese	yacido
yacieras	hubieras	
o yacieses	o hubieses	yacido
yaciera	hubiera	
o yaciese	o hubiese	yacido
yaciéramos	hubiéramos	
o yaciésemos	o hubiésemos	yacido
yacierais	hubierais	
o yacieseis	o hubieseis	yacido
yacieran	hubieran	
o yaciesen	o hubiesen	yacido

Futuro (Bello : Futuro)	Futuro perf. (Bello : Antefuturo)	
yaciere	hubiere	yacido
yacieres	hubieres	yacido
yaciere	hubiere	yacido
yaciéremos	hubiéremos	yacido
yaciereis	hubiereis	yacido
yacieren	hubieren	yacido

___ IMPERATIVO___

Presente

yace o yaz	tú
yazca, yazga o yaga	él
yazcamos, yazgamos o yagamos	nosotros
yaced	vosotros
yazcan, yazgan o yagan	ellos

___ FORMAS NO PERSONALES___

Infinitivo	Infinitivo compuesto
yacer	haber yacido
Gerundio	Gerundio compuesto
yaciendo	habiendo yacido
Participio	
yacido	

* o yazgo o yago
** o yazga o yaga, yazgas o yagas, etc.

35 parecer

—— INDICATIVO ——

Presente (Bello : Presente)		Pret. perf. comp. (Bello : Antepresente)	
parezco		he	parecido
pareces		has	parecido
parece		ha	parecido
parecemos		hemos	parecido
parecéis		habéis	parecido
parecen		han	parecido

Pret. imperf. (Bello : Copretérito)		Pret. pluscuamp. (Bello : Antecopretérito)	
parecía		había	parecido
parecías		habías	parecido
parecía		había	parecido
parecíamos		habíamos	parecido
parecíais		habíais	parecido
parecían		habían	parecido

Pret. perf. simple (Bello : Pretérito)		Pret. anterior (Bello : Antepretérito)	
parecí		hube	parecido
pareciste		hubiste	parecido
pareció		hubo	parecido
parecimos		hubimos	parecido
parecisteis		hubisteis	parecido
parecieron		hubieron	parecido

Futuro (Bello : Futuro)		Futuro perf. (Bello : Antefuturo)	
pareceré		habré	parecido
parecerás		habrás	parecido
parecerá		habrá	parecido
pareceremos		habremos	parecido
pareceréis		habréis	parecido
parecerán		habrán	parecido

Condicional (Bello : Pospretérito)		Condicional perf. (Bello : Antepospretérito)	
parecería		habría	parecido
parecerías		habrías	parecido
parecería		habría	parecido
pareceríamos		habríamos	parecido
pareceríais		habríais	parecido
parecerían		habrían	parecido

—— SUBJUNTIVO ——

Presente (Bello : Presente)		Pret. perf. (Bello : Antepresente)	
parezca		haya	parecido
parezcas		hayas	parecido
parezca		haya	parecido
parezcamos		hayamos	parecido
parezcáis		hayáis	parecido
parezcan		hayan	parecido

Pret. imperf. (Bello : Pretérito)		Pret. pluscuamp. (Bello : Antepretérito)	
pareciera		hubiera	
o pareciese		o hubiese	parecido
parecieras		hubieras	
o parecieses		o hubieses	parecido
pareciera		hubiera	
o pareciese		o hubiese	parecido
pareciéramos		hubiéramos	
o pareciésemos		o hubiésemos	parecido
parecierais		hubierais	
o parecieseis		o hubieseis	parecido
parecieran		hubieran	
o pareciesen		o hubiesen	parecido

Futuro (Bello : Futuro)		Futuro perf. (Bello : Antefuturo)	
pareciere		hubiere	parecido
parecieres		hubieres	parecido
pareciere		hubiere	parecido
pareciéremos		hubiéremos	parecido
pareciereis		hubiereis	parecido
parecieren		hubieren	parecido

—— IMPERATIVO ——

Presente

parece	tú
parezca	él
parezcamos	nosotros
pareced	vosotros
parezcan	ellos

—— FORMAS NO PERSONALES ——

Infinitivo	Infinitivo compuesto
parecer	haber parecido
Gerundio	Gerundio compuesto
pareciendo	habiendo parecido
Participio	
parecido	

36 nacer

INDICATIVO

Presente (Bello : Presente)	Pret. perf. comp. (Bello : Antepresente)	
nazco	he	nacido
naces	has	nacido
nace	ha	nacido
nacemos	hemos	nacido
nacéis	habéis	nacido
nacen	han	nacido

Pret. imperf. (Bello : Copretérito)	Pret. pluscuamp. (Bello : Antecopretérito)	
nacía	había	nacido
nacías	habías	nacido
nacía	había	nacido
nacíamos	habíamos	nacido
nacíais	habíais	nacido
nacían	habían	nacido

Pret. perf. simple (Bello : Pretérito)	Pret. anterior (Bello : Antepretérito)	
nací	hube	nacido
naciste	hubiste	nacido
nació	hubo	nacido
nacimos	hubimos	nacido
nacisteis	hubisteis	nacido
nacieron	hubieron	nacido

Futuro (Bello : Futuro)	Futuro perf. (Bello : Antefuturo)	
naceré	habré	nacido
nacerás	habrás	nacido
nacerá	habrá	nacido
naceremos	habremos	nacido
naceréis	habréis	nacido
nacerán	habrán	nacido

Condicional (Bello : Pospretérito)	Condicional perf. (Bello : Antepospretérito)	
nacería	habría	nacido
nacerías	habrías	nacido
nacería	habría	nacido
naceríamos	habríamos	nacido
naceríais	habríais	nacido
nacerían	habrían	nacido

SUBJUNTIVO

Presente (Bello : Presente)	Pret. perf. (Bello : Antepresente)	
nazca	haya	nacido
nazcas	hayas	nacido
nazca	haya	nacido
nazcamos	hayamos	nacido
nazcáis	hayáis	nacido
nazcan	hayan	nacido

Pret. imperf. (Bello : Pretérito)	Pret. pluscuamp. (Bello : Antepretérito)	
naciera	hubiera	
o naciese	o hubiese	nacido
nacieras	hubieras	
o nacieses	o hubieses	nacido
naciera	hubiera	
o naciese	o hubiese	nacido
naciéramos	hubiéramos	
o naciésemos	o hubiésemos	nacido
nacierais	hubierais	
o nacieseis	o hubieseis	nacido
nacieran	hubieran	
o naciesen	o hubiesen	nacido

Futuro (Bello : Futuro)	Futuro perf. (Bello : Antefuturo)	
naciere	hubiere	nacido
nacieres	hubieres	nacido
naciere	hubiere	nacido
naciéremos	hubiéremos	nacido
naciereis	hubiereis	nacido
nacieren	hubieren	nacido

IMPERATIVO

Presente

nace	tú
nazca	él
nazcamos	nosotros
naced	vosotros
nazcan	ellos

FORMAS NO PERSONALES

Infinitivo	Infinitivo compuesto
nacer	haber nacido
Gerundio	Gerundio compuesto
naciendo	habiendo nacido
Participio	
nacido	

37 conocer

—— INDICATIVO ——

Presente (Bello : Presente)	Pret. perf. comp. (Bello : Antepresente)	
conozco	he	conocido
conoces	has	conocido
conoce	ha	conocido
conocemos	hemos	conocido
conocéis	habéis	conocido
conocen	han	conocido

Pret. imperf. (Bello : Copretérito)	Pret. pluscuamp. (Bello : Antecopretérito)	
conocía	había	conocido
conocías	habías	conocido
conocía	había	conocido
conocíamos	habíamos	conocido
conocíais	habíais	conocido
conocían	habían	conocido

Pret. perf. simple (Bello : Pretérito)	Pret. anterior (Bello : Antepretérito)	
conocí	hube	conocido
conociste	hubiste	conocido
conoció	hubo	conocido
conocimos	hubimos	conocido
conocisteis	hubisteis	conocido
conocieron	hubieron	conocido

Futuro (Bello : Futuro)	Futuro perf. (Bello : Antefuturo)	
conoceré	habré	conocido
conocerás	habrás	conocido
conocerá	habrá	conocido
conoceremos	habremos	conocido
conoceréis	habréis	conocido
conocerán	habrán	conocido

Condicional (Bello : Pospretérito)	Condicional perf. (Bello : Antepospretérito)	
conocería	habría	conocido
conocerías	habrías	conocido
conocería	habría	conocido
conoceríamos	habríamos	conocido
conoceríais	habríais	conocido
conocerían	habrían	conocido

—— SUBJUNTIVO ——

Presente (Bello : Presente)	Pret. perf. (Bello : Antepresente)	
conozca	haya	conocido
conozcas	hayas	conocido
conozca	haya	conocido
conozcamos	hayamos	conocido
conozcáis	hayáis	conocido
conozcan	hayan	conocido

Pret. imperf. (Bello : Pretérito)	Pret. pluscuamp. (Bello : Antepretérito)	
conociera	hubiera	
o conociese	o hubiese	conocido
conocieras	hubieras	
o conocieses	o hubieses	conocido
conociera	hubiera	
o conociese	o hubiese	conocido
conociéramos	hubiéramos	
o conociésemos	o hubiésemos	conocido
conocierais	hubierais	
o conocieseis	o hubieseis	conocido
conocieran	hubieran	
o conociesen	o hubiesen	conocido

Futuro (Bello : Futuro)	Futuro perf. (Bello : Antefuturo)	
conociere	hubiere	conocido
conocieres	hubieres	conocido
conociere	hubiere	conocido
conociéremos	hubiéremos	conocido
conociereis	hubiereis	conocido
conocieren	hubieren	conocido

—— IMPERATIVO ——

Presente

conoce	tú
conozca	él
conozcamos	nosotros
conoced	vosotros
conozc-	ellos

—— FORMAS NO PERSONALES ——

Infinitivo	Infinitivo compuesto
conocer	haber conocido
Gerundio	Gerundio compuesto
conociendo	habiendo conocido
Participio	
conocido	

38 lucir

Presente
(Bello : Presente)

luzco
luces
luce
lucimos
lucís
lucen

Pret. perf. comp.
(Bello : Antepresente)

he lucido
has lucido
ha lucido
hemos lucido
habéis lucido
han lucido

Presente
(Bello : Presente)

luzca
luzcas
luzca
luzcamos
luzcáis
luzcan

Pret. perf.
(Bello : Antepresente)

haya lucido
hayas lucido
haya lucido
hayamos lucido
hayáis lucido
hayan lucido

Pret. imperf.
(Bello : Copretérito)

lucía
lucías
lucía
lucíamos
lucíais
lucían

Pret. pluscuamp.
(Bello : Antecopretérito)

había lucido
habías lucido
había lucido
habíamos lucido
habíais lucido
habían lucido

Pret. imperf.
(Bello : Pretérito)

luciera
o luciese
lucieras
o lucieses
luciera
o luciese
luciéramos
o luciésemos
lucierais
o lucieseis
lucieran
o luciesen

Pret. pluscuamp.
(Bello : Antepretérito)

hubiera
o hubiese lucido
hubieras
o hubieses lucido
hubiera
o hubiese lucido
hubiéramos
o hubiésemos lucido
hubierais
o hubieseis lucido
hubieran
o hubiesen lucido

Pret. perf. simple
(Bello : Pretérito)

lucí
luciste
lució
lucimos
lucisteis
lucieron

Pret. anterior
(Bello : Antepretérito)

hube lucido
hubiste lucido
hubo lucido
hubimos lucido
hubisteis lucido
hubieron lucido

Futuro
(Bello : Futuro)

luciere
lucieres
luciere
luciéremos
luciereis
lucieren

Futuro perf.
(Bello : Antefuturo)

hubiere lucido
hubieres lucido
hubiere lucido
hubiéremos lucido
hubiereis lucido
hubieren lucido

Futuro
(Bello : Futuro)

luciré
lucirás
lucirá
luciremos
luciréis
lucirán

Futuro perf.
(Bello : Antefuturo)

habré lucido
habrás lucido
habrá lucido
habremos lucido
habréis lucido
.abrán lucido

Presente

luce tú
luzca él
luzcamos nosotros
lucid vosotros
luzcan ellos

Condicional
(Bello : Pospretérito)

luciría
lucirías
luciría
luciríamos
luciríais
lucirían

Condicional perf.
(Bello : Antepospretérito)

habría lucido
habrías lucido
habría lucido
habríamos lucido
habríais lucido
habrían lucido

Infinitivo
lucir

Infinitivo compuesto
haber lucido

Gerundio
luciendo

Gerundio compuesto
habiendo lucido

Participio
lucido

39 conducir

Presente (Bello : Presente)	Pret. perf. comp. (Bello : Antepresente)		Presente (Bello : Presente)	Pret. perf. (Bello : Antepresente)	
conduzco	he	conducido	conduzca	haya	conducido
conduces	has	conducido	conduzcas	hayas	conducido
conduce	ha	conducido	conduzca	haya	conducido
conducimos	hemos	conducido	conduzcamos	hayamos	conducido
conducís	habéis	conducido	conduzcáis	hayáis	conducido
conducen	han	conducido	conduzcan	hayan	conducido

Pret. imperf. (Bello : Copretérito)	Pret. pluscuamp. (Bello : Antecopretérito)		Pret. imperf. (Bello : Pretérito)	Pret. pluscuamp. (Bello : Antepretérito)	
conducía	había	conducido	condujera	hubiera	
conducías	habías	conducido	o condujese	o hubiese	conducido
conducía	había	conducido	condujeras	hubieras	
conducíamos	habíamos	conducido	o condujeses	o hubieses	conducido
conducíais	habíais	conducido	condujera	hubiera	
conducían	habían	conducido	o condujese	o hubiese	conducido
			condujéramos	hubiéramos	
			o condujésemos	o hubiésemos	conducido
			condujerais	hubierais	
			o condujeseis	o hubieseis	conducido
			condujeran	hubieran	
			o condujesen	o hubiesen	conducido

Pret. perf. simple (Bello : Pretérito)	Pret. anterior (Bello : Antepretérito)	
conduje	hube	conducido
condujiste	hubiste	conducido
condujo	hubo	conducido
condujimos	hubimos	conducido
condujisteis	hubisteis	conducido
condujeron	hubieron	conducido

Futuro (Bello : Futuro)	Futuro perf. (Bello : Antefuturo)	
condujere	hubiere	conducido
condujeres	hubieres	conducido
condujere	hubiere	conducido
condujéremos	hubiéremos	conducido
condujereis	hubiereis	conducido
condujeren	hubieren	conducido

Futuro (Bello : Futuro)	Futuro perf. (Bello : Antefuturo)	
conduciré	habré	conducido
conducirás	habrás	conducido
conducirá	habrá	conducido
conduciremos	habremos	conducido
conduciréis	habréis	conducido
conducirán	habrán	conducido

Presente

conduce	tú
conduzca	él
conduzcamos	nosotros
conducid	vosotros
conduzcan	ellos

Condicional (Bello : Pospretérito)	Condicional perf. (Bello : Antepospretérito)	
conduciría	habría	conducido
conducirías	habrías	conducido
conduciría	habría	conducido
conduciríamos	habríamos	conducido
conduciríais	habríais	conducido
conducirían	habrían	conducido

Infinitivo	Infinitivo compuesto
conducir	haber conducido
Gerundio	Gerundio compuesto
conduciendo	habiendo conducido
Participio	
conducido	

40 placer

_____ INDICATIVO _____

Presente (Bello : Presente)	Pret. perf. comp. (Bello : Antepresente)
plazco	he placido
places	has placido
place	ha placido
placemos	hemos placido
placéis	habéis placido
placen	han placido

Pret. imperf. (Bello : Copretérito)	Pret. pluscuamp. (Bello : Antecopretérito)
placía	había placido
placías	habías placido
placía	había placido
placíamos	habíamos placido
placíais	habíais placido
placían	habían placido

Pret. perf. simple (Bello : Pretérito)	Pret. anterior (Bello : Antepretérito)
plací	hube placido
placiste	hubiste placido
plació o plugo	hubo placido
placimos	hubimos placido
placisteis	hubisteis placido
placieron *	hubieron placido

Futuro (Bello : Futuro)	Futuro perf. (Bello : Antefuturo)
placeré	habré placido
placerás	habrás placido
placerá	habrá placido
placeremos	habremos placido
placeréis	habréis placido
placerán	habrán placido

Condicional (Bello : Pospretérito)	Condicional perf. (Bello : Antepospretérito)
placería	habría placido
placerías	habrías placido
placería	habría placido
placeríamos	habríamos placido
placeríais	habríais placido
placerían	habrían placido

_____ SUBJUNTIVO _____

Presente (Bello : Presente)	Pret. perf. (Bello : Antepresente)
plazca	haya placido
plazcas	hayas placido
plazca o plegue	haya placido
plazcamos	hayamos placido
plazcáis	hayáis placido
plazcan	hayan placido

Pret. imperf. (Bello : Pretérito)	Pret. pluscuamp. (Bello : Antepretérito)
placiera	hubiera
o placiese	o hubiese placido
placieras	hubieras
o placieses	o hubieses placido
placiera	hubiera
o placiese **	o hubiese placido
placiéramos	hubiéramos
o placiésemos	o hubiésemos placido
placierais	hubierais
o placieseis	o hubieseis placido
placieran	hubieran
o placiesen	o hubiesen placido

Futuro (Bello : Futuro)	Futuro perf. (Bello : Antefuturo)
placiere	hubiere placido
placieres	hubieres placido
placiere ***	hubiere placido
placiéremos	hubiéremos placido
placiereis	hubiereis placido
placieren	hubieren placido

_____ IMPERATIVO _____

Presente

place	tú
plazca	él
plazcamos	nosotros
placed	vosotros
plazcan	ellos

_____ FORMAS NO PERSONALES _____

Infinitivo placer	Infinitivo compuesto haber placido
Gerundio placiendo.	Gerundio compuesto habiendo placido
Participio placido	

*   o pluguieron
**   o pluguiera, pluguiese
*** o pluguiere

63

41 asir

INDICATIVO

Presente
(Bello : Presente)

asgo
ases
ase
asimos
asís
asen

Pret. perf. comp.
(Bello : Antepresente)

he asido
has asido
ha asido
hemos asido
habéis asido
han asido

Pret. imperf.
(Bello : Copretérito)

asía
asías
asía
asíamos
asíais
asían

Pret. pluscuamp.
(Bello : Antecopretérito)

había asido
habías asido
había asido
habíamos asido
habíais asido
habían asido

Pret. perf. simple
(Bello : Pretérito)

así
asiste
asió
asimos
asisteis
asieron

Pret. anterior
(Bello : Antepretérito)

hube asido
hubiste asido
hubo asido
hubimos asido
hubisteis asido
hubieron asido

Futuro
(Bello : Futuro)

asiré
asirás
asirá
asiremos
asiréis
asirán

Futuro perf.
(Bello : Antefuturo)

habré asido
habrás asido
habrá asido
habremos asido
habréis asido
habrán asido

Condicional
(Bello : Pospretérito)

asiría
asirías
asiría
asiríamos
asiríais
asirían

Condicional perf.
(Bello : Antepospretérito)

habría asido
habrías asido
habría asido
habríamos asido
habríais asido
habrían asido

SUBJUNTIVO

Presente
(Bello : Presente)

asga
asgas
asga
asgamos
asgáis
asgan

Pret. perf.
(Bello : Antepresente)

haya asido
hayas asido
haya asido
hayamos asido
hayáis asido
hayan asido

Pret. imperf.
(Bello : Pretérito)

asiera
o asiese
asieras
o asieses
asiera
o asiese
asiéramos
o asiésemos
asierais
o asieseis
asieran
o asiesen

Pret. pluscuamp.
(Bello : Antepretérito)

hubiera
o hubiese asido
hubieras
o hubieses asido
hubiera
o hubiese asido
hubiéramos
o hubiésemos asido
hubierais
o hubieseis asido
hubieran
o hubiesen asido

Futuro
(Bello : Futuro)

asiere
asieres
asiere
asiéremos
asiereis
asieren

Futuro perf.
(Bello : Antefuturo)

hubiere asido
hubieres asido
hubiere asido
hubiéremos asido
hubiereis asido
hubieren asido

IMPERATIVO

Presente

ase tú
asga él
asgamos nosotros
asid vosotros
asgan ellos

FORMAS NO PERSONALES

Infinitivo
asir

Infinitivo compuesto
haber asido

Gerundio
asiendo

Gerundio compuesto
habiendo asido

Participio
asido

42 salir

____ INDICATIVO ____

Presente (Bello : Presente)		Pret. perf. comp. (Bello : Antepresente)	
salgo		he	salido
sales		has	salido
sale		ha	salido
salimos		hemos	salido
salís		habéis	salido
salen		han	salido

Pret. imperf. (Bello : Copretérito)		Pret. pluscuamp. (Bello : Antecopretérito)	
salía		había	salido
salías		habías	salido
salía		había	salido
salíamos		habíamos	salido
salíais		habíais	salido
salían		habían	salido

Pret. perf. simple (Bello : Pretérito)		Pret. anterior (Bello : Antepretérito)	
salí		hube	salido
saliste		hubiste	salido
salió		hubo	salido
salimos		hubimos	salido
salisteis		hubisteis	salido
salieron		hubieron	salido

Futuro (Bello : Futuro)		Futuro perf. (Bello : Antefuturo)	
saldré		habré	salido
saldrás		habrás	salido
saldrá		habrá	salido
saldremos		habremos	salido
saldréis		habréis	salido
saldrán		habrán	salido

Condicional (Bello : Pospretérito)		Condicional perf. (Bello : Antepospretérito)	
saldría		habría	salido
saldrías		habrías	salido
saldría		habría	salido
saldríamos		habríamos	salido
saldríais		habríais	salido
saldrían		habrían	salido

____ SUBJUNTIVO ____

Presente (Bello : Presente)		Pret. perf. (Bello : Antepresente)	
salga		haya	salido
salgas		hayas	salido
salga		haya	salido
salgamos		hayamos	salido
salgáis		hayáis	salido
salgan		hayan	salido

Pret. imperf. (Bello : Pretérito)		Pret. pluscuamp. (Bello : Antepretérito)	
saliera		hubiera	
o saliese		o hubiese	salido
salieras		hubieras	
o salieses		o hubieses	salido
saliera		hubiera	
o saliese		o hubiese	salido
saliéramos		hubiéramos	
o saliésemos		o hubiésemos	salido
salierais		hubierais	
o salieseis		o hubieseis	salido
salieran		hubieran	
o saliesen		o hubiesen	salido

Futuro (Bello : Futuro)		Futuro perf. (Bello : Antefuturo)	
saliere		hubiere	salido
salieres		hubieres	salido
saliere		hubiere	salido
saliéremos		hubiéremos	salido
saliereis		hubiereis	salido
salieren		hubieren	salido

____ IMPERATIVO ____

Presente

sal	tú
salga	él
salgamos	nosotros
salid	vosotros
salgan	ellos

____ FORMAS NO PERSONALES ____

Infinitivo	Infinitivo compuesto
salir	haber salido
Gerundio	Gerundio compuesto
saliendo	habiendo salido
Participio	
salido	

43 valer

Presente (Bello : Presente)	Pret. perf. comp. (Bello : Antepresente)	
valgo	he	valido
vales	has	valido
vale	ha	valido
valemos	hemos	valido
valéis	habéis	valido
valen	han	valido

Pret. imperf. (Bello : Copretérito)	Pret. pluscuamp. (Bello : Antecopretérito)	
valía	había	valido
valías	habías	valido
valía	había	valido
valíamos	habíamos	valido
valíais	habíais	valido
valían	habían	valido

Pret. perf. simple (Bello : Pretérito)	Pret. anterior (Bello : Antepretérito)	
valí	hube	valido
valiste	hubiste	valido
valió	hubo	valido
valimos	hubimos	valido
valisteis	hubisteis	valido
valieron	hubieron	valido

Futuro (Bello : Futuro)	Futuro perf. (Bello : Antefuturo)	
valdré	habré	valido
valdrás	habrás	valido
valdrá	habrá	valido
valdremos	habremos	valido
valdréis	habréis	valido
valdrán	habrán	valido

Condicional (Bello : Pospretérito)	Condicional perf. (Bello : Antepospretérito)	
valdría	habría	valido
valdrías	habrías	valido
valdría	habría	valido
valdríamos	habríamos	valido
valdríais	habríais	valido
valdrían	habrían	valido

SUBJUNTIVO

Presente (Bello : Presente)	Pret. perf. (Bello : Antepresente)	
valga	haya	valido
valgas	hayas	valido
valga	haya	valido
valgamos	hayamos	valido
valgáis	hayáis	valido
valgan	hayan	valido

Pret. imperf. (Bello : Pretérito)	Pret. pluscuamp. (Bello : Antepretérito)	
valiera	hubiera	
o valiese	o hubiese	valido
valieras	hubieras	
o valieses	o hubieses	valido
valiera	hubiera	
o valiese	o hubiese	valido
valiéramos	hubiéramos	
o valiésemos	o hubiésemos	valido
valierais	hubierais	
o valieseis	o hubieseis	valido
valieran	hubieran	
o valiesen	o hubiesen	valido

Futuro (Bello : Futuro)	Futuro perf. (Bello : Antefuturo)	
valiere	hubiere	valido
valieres	hubieres	valido
valiere	hubiere	valido
valiéremos	hubiéremos	valido
valiereis	hubiereis	valido
valieren	hubieren	valido

IMPERATIVO

Presente

vale	tú
valga	él
valgamos	nosotros
valed	vosotros
valgan	ellos

FORMAS NO PERSONALES

Infinitivo valer	Infinitivo compuesto haber valido
Gerundio valiendo	**Gerundio compuesto** habiendo valido
Participio valido	

44 huir

INDICATIVO

Presente (Bello : Presente)	Pret. perf. comp. (Bello : Antepresente)	
huyo	he	huido
huyes	has	huido
huye	ha	huido
huimos	hemos	huido
huís	habéis	huido
huyen	han	huido

Pret. imperf. (Bello : Copretérito)	Pret. pluscuamp. (Bello : Antecopretérito)	
huía	había	huido
huías·	habías	huido
huía	había	huido
huíamos	habíamos	huido
huíais	habíais	huido
huían	habían	huido

Pret. perf. simple (Bello : Pretérito)	Pret. anterior (Bello : Antepretérito)	
huí	hube	huido
huiste	hubiste	huido
huyó	hubo	huido
huimos	hubimos	huido
huisteis	hubisteis	huido
huyeron	hubieron	huido

Futuro (Bello : Futuro)	Futuro perf. (Bello : Antefuturo)	
huiré	habré	huido
huirás	habrás	huido
huirá	habrá	huido
huiremos	habremos	huido
huiréis	habréis	huido
huirán	habrán	huido

Condicional (Bello : Pospretérito)	Condicional perf. (Bello : Antepospretérito)	
huiría	habría	huido
huirías	habrías	huido
huiría	habría	huido
huiríamos	habríamos	huido
huiríais	habríais	huido
huirían	habrían	huido

SUBJUNTIVO

Presente (Bello : Presente)	Pret. perf. (Bello : Antepresente)	
huya	haya	huido
huyas	hayas	huido
huya	haya	huido
huyamos	hayamos	huido
huyáis	hayáis	huido
huyan	hayan	huido

Pret. imperf. (Bello : Pretérito)	Pret. pluscuamp. (Bello : Antepretérito)	
huyera	hubiera	
o huyese	o hubiese	huido
huyeras	hubieras	
o huyeses	o hubieses	huido
huyera	hubiera	
o huyese	o hubiese	huido
huyéramos	hubiéramos	
o huyésemos	o hubiésemos	huido
huyerais	hubierais	
o huyeseis	o hubieseis	huido
huyeran	hubieran	
o huyesen	o hubiesen	huido

Futuro (Bello : Futuro)	Futuro perf. (Bello : Antefuturo)	
huyere	hubiere	huido
huyeres	hubieres	huido
huyere	hubiere	huido
huyéremos	hubiéremos	huido
huyereis	hubiereis	huido
huyeren	hubieren	huido

IMPERATIVO

Presente

huye	tú
huya	él
huyamos	nosotros
huid	vosotros
huyan	ellos

FORMAS NO PERSONALES

Infinitivo	Infinitivo compuesto
huir	haber huido

Gerundio	Gerundio compuesto
huyendo	habiendo huido

Participio
huido

67

45 oír

Presente (Bello : Presente)	Pret. perf. comp. (Bello : Antepresente)		Presente (Bello : Presente)	Pret. perf. (Bello : Antepresente)	
oigo	he	oído	oiga	haya	oído
oyes	has	oído	oigas	hayas	oído
oye	ha	oído	oiga	haya	oído
oímos	hemos	oído	oigamos	hayamos	oído
oís	habéis	oído	oigáis	hayáis	oído
oyen	han	oído	oigan	hayan	oído

Pret. imperf. (Bello : Copretérito)	Pret. pluscuamp. (Bello : Antecopretérito)		Pret. imperf. (Bello : Pretérito)	Pret. pluscuamp. (Bello : Antepretérito)	
oía	había	oído	oyera	hubiera	
oías	habías	oído	u oyese	o hubiese	oído
oía	había	oído	oyeras	hubieras	
oíamos	habíamos	oído	u oyeses	o hubieses	oído
oíais	habíais	oído	oyera	hubiera	
oían	habían	oído	u oyese	o hubiese	oído
			oyéramos	hubiéramos	
			u oyésemos	o hubiésemos	oído
			oyerais	hubierais	
			u oyeseis	o hubieseis	oído
			oyeran	hubieran	

Pret. perf. simple (Bello : Pretérito)	Pret. anterior (Bello : Antepretérito)		u oyesen	o hubiesen	oído
oí	hube	oído			
oiste	hubiste	oído			
oyó	hubo	oído	Futuro (Bello : Futuro)	Futuro perf. (Bello : Antefuturo)	
oímos	hubimos	oído			
oísteis	hubisteis	oído	oyere	hubiere	oído
oyeron	hubieron	oído	oyeres	hubieres	oído
			oyere	hubiere	oído
			oyéremos	hubiéremos	oído
			oyereis	hubiereis	oído
			oyeren	hubieren	oído

Futuro (Bello : Futuro)	Futuro perf. (Bello : Antefuturo)	
oiré	habré	oído
oirás	habrás	oído
oirá	habrá	oído
oiremos	habremos	oído
oiréis	habréis	oído
oirán	habrán	oído

Presente

oye	tú
oiga	él
oigamos	nosotros
oíd	vosotros
oigan	ellos

Condicional (Bello : Pospretérito)	Condicional perf. (Bello : Antepospretérito)	
oiría	habría	oído
oirías	habrías	oído
oiría	habría	oído
oiríamos	habríamos	oído
oiríais	habríais	oído
oirían	habrían	oído

Infinitivo	Infinitivo compuesto
oír	haber oído
Gerundio	Gerundio compuesto
oyendo	habiendo oído
Participio	
oído	

46 decir

Presente (Bello : Presente)		Pret. perf. comp. (Bello : Antepresente)	
digo		he	dicho
dices		has	dicho
dice		ha	dicho
decimos		hemos	dicho
decís		habéis	dicho
dicen		han	dicho

Pret. imperf. (Bello : Copretérito)		Pret. pluscuamp. (Bello : Antecopretérito)	
decía		había	dicho
decías		habías	dicho
decía		había	dicho
decíamos		habíamos	dicho
decíais		habíais	dicho
decían		habían	dicho

Pret. perf. simple (Bello : Pretérito)		Pret. anterior (Bello : Antepretérito)	
dije		hube	dicho
dijiste		hubiste	dicho
dijo		hubo	dicho
dijimos		hubimos	dicho
dijisteis		hubisteis	dicho
dijeron		hubieron	dicho

Futuro (Bello : Futuro)		Futuro perf. (Bello : Antefuturo)	
diré		habré	dicho
dirás		habrás	dicho
dirá		habrá	dicho
diremos		habremos	dicho
diréis		habréis	dicho
dirán		habrán	dicho

Condicional (Bello : Pospretérito)		Condicional perf. (Bello : Antepospretérito)	
diría		habría	dicho
dirías		habrías	dicho
diría		habría	dicho
diríamos		habríamos	dicho
diríais		habríais	dicho
dirían		habrían	dicho

Presente (Bello : Presente)		Pret. perf. (Bello : Antepresente)	
diga		haya	dicho
digas		hayas	dicho
diga		haya	dicho
digamos		hayamos	dicho
digáis		hayáis	dicho
digan		hayan	dicho

Pret. imperf. (Bello : Pretérito)		Pret. pluscuamp. (Bello : Antepretérito)	
dijera		hubiera	
o dijese		o hubiese	dicho
dijeras		hubieras	
o dijeses		o hubieses	dicho
dijera		hubiera	
o dijese		o hubiese	dicho
dijéramos		hubiéramos	
o dijésemos		o hubiésemos	dicho
dijerais		hubierais	
o dijeseis		o hubieseis	dicho
dijeran		hubieran	
o dijesen		o hubiesen	dicho

Futuro (Bello : Futuro)		Futuro perf. (Bello : Antefuturo)	
dijere		hubiere	dicho
dijeres		hubieres	dicho
dijere		hubiere	dicho
dijéremos		hubiéremos	dicho
dijereis		hubiereis	dicho
dijeren		hubieren	dicho

Presente

di	tú
diga	él
digamos	nosotros
decid	vosotros
digan	ellos

Infinitivo decir	Infinitivo compuesto haber dicho
Gerundio diciendo	Gerundio compuesto habiendo dicho
Participio dicho	

47 predecir

INDICATIVO

Presente (Bello : Presente)	Pret. perf. comp. (Bello : Antepresente)	
predigo	he	predicho
predices	has	predicho
predice	ha	predicho
predecimos	hemos	predicho
predecís	habéis	predicho
predicen	han	predicho

Pret. imperf. (Bello : Copretérito)	Pret. pluscuamp. (Bello : Antecopretérito)	
predecía	había	predicho
predecías	habías	predicho
predecía	había	predicho
predecíamos	habíamos	predicho
predecíais	habíais	predicho
predecían	habían	predicho

Pret. perf. simple (Bello : Pretérito)	Pret. anterior (Bello : Antepretérito)	
predije	hube	predicho
predijiste	hubiste	predicho
predijo	hubo	predicho
predijimos	hubimos	predicho
predijisteis	hubisteis	predicho
predijeron	hubieron	predicho

Futuro (Bello : Futuro)	Futuro perf. (Bello : Antefuturo)	
predeciré	habré	predicho
predecirás	habrás	predicho
predecirá	habrá	predicho
predeciremos	habremos	predicho
predeciréis	habréis	predicho
predecirán	habrán	predicho

Condicional (Bello : Pospretérito)	Condicional perf. (Bello : Antepospretérito)	
predeciría	habría	predicho
predecirías	habrías	predicho
predeciría	habría	predicho
predeciríamos	habríamos	predicho
predeciríais	habríais	predicho
predecirían	habrían	predicho

SUBJUNTIVO

Presente (Bello : Presente)	Pret. perf. (Bello : Antepresente)	
prediga	haya	predicho
predigas	hayas	predicho
prediga	haya	predicho
predigamos	hayamos	predicho
predigáis	hayáis	predicho
predigan	hayan	predicho

Pret. imperf. (Bello : Pretérito)	Pret. pluscuamp. (Bello : Antepretérito)	
predijera	hubiera	
o predijese	o hubiese	predicho
predijeras	hubieras	
o predijeses	o hubieses	predicho
predijera	hubiera	
o predijese	o hubiese	predicho
predijéramos	hubiéramos	
o predijésemos	o hubiésemos	predicho
predijerais	hubierais	
o predijeseis	o hubieseis	predicho
predijeran	hubieran	
o predijesen	o hubiesen	predicho

Futuro (Bello : Futuro)	Futuro perf. (Bello : Antefuturo)	
predijere	hubiere	predicho
predijeres	hubieres	predicho
predijere	hubiere	predicho
predijéremos	hubiéremos	predicho
predijereis	hubiereis	predicho
predijeren	hubieren	predicho

IMPERATIVO

Presente

predice	tú
prediga	él
predigamos	nosotros
predecid	vosotros
predigan	ellos

FORMAS NO PERSONALES

Infinitivo	Infinitivo compuesto
predecir	haber predicho
Gerundio	**Gerundio compuesto**
prediciendo	habiendo predicho
Participio	
predicho	

48 caber

___ INDICATIVO ___

Presente (Bello : Presente)	Pret. perf. comp. (Bello : Antepresente)	
quepo	he	cabido
cabes	has	cabido
cabe	ha	cabido
cabemos	hemos	cabido
cabéis	habéis	cabido
caben	han	cabido

Pret. imperf. (Bello : Copretérito)	Pret. pluscuamp. (Bello : Antecopretérito)	
cabía	había	cabido
cabías	habías	cabido
cabía	había	cabido
cabíamos	habíamos	cabido
cabíais	habíais	cabido
cabían	habían	cabido

Pret. perf. simple (Bello : Pretérito)	Pret. anterior (Bello : Antepretérito)	
cupe	hube	cabido
cupiste	hubiste	cabido
cupo	hubo	cabido
cupimos	hubimos	cabido
cupisteis	hubisteis	cabido
cupieron	hubieron	cabido

Futuro (Bello : Futuro)	Futuro perf. (Bello : Antefuturo)	
cabré	habré	cabido
cabrás	habrás	cabido
cabrá	habrá	cabido
cabremos	habremos	cabido
cabréis	habréis	cabido
cabrán	habrán	cabido

Condicional (Bello : Pospretérito)	Condicional perf. (Bello : Antepospretérito)	
cabría	habría	cabido
cabrías	habrías	cabido
cabría	habría	cabido
cabríamos	habríamos	cabido
cabríais	habríais	cabido
cabrían	habrían	cabido

___ SUBJUNTIVO ___

Presente (Bello : Presente)	Pret. perf. (Bello : Antepresente)	
quepa	haya	cabido
quepas	hayas	cabido
quepa	haya	cabido
quepamos	hayamos	cabido
quepáis	hayáis	cabido
quepan	hayan	cabido

Pret. imperf. (Bello : Pretérito)	Pret. pluscuamp. (Bello : Antepretérito)	
cupiera	hubiera	
o cupiese	o hubiese	cabido
cupieras	hubieras	
o cupieses	o hubieses	cabido
cupiera	hubiera	
o cupiese	o hubiese	cabido
cupiéramos	hubiéramos	
o cupiésemos	o hubiésemos	cabido
cupierais	hubierais	
o cupieseis	o hubieseis	cabido
cupieran	hubieran	
o cupiesen	o hubiesen	cabido

Futuro (Bello : Futuro)	Futuro perf. (Bello : Antefuturo)	
cupiere	hubiere	cabido
cupieres	hubieres	cabido
cupiere	hubiere	cabido
cupiéremos	hubiéremos	cabido
cupiereis	hubiereis	cabido
cupieren	hubieren	cabido

___ IMPERATIVO ___

Presente

cabe	tú
quepa	él
quepamos	nosotros
cabed	vosotros
quepan	ellos

___ FORMAS NO PERSONALES ___

Infinitivo	Infinitivo compuesto
caber	haber cabido
Gerundio	Gerundio compuesto
cabiendo	habiendo cabido
Participio	
cabido	

49 saber

___ INDICATIVO___

Presente (Bello : Presente)	Pret. perf. comp. (Bello : Antepresente)	
sé	he	sabido
sabes	has	sabido
abe	ha	sabido
,abemos	hemos	sabido
sabéis	habéis	sabido
saben	han	sabido

Pret. imperf. (Bello : Copretérito)	Pret. pluscuamp. (Bello : Antecopretérito)	
sabía	había	sabido
sabías	habías	sabido
sabía	había	sabido
sabíamos	habíamos	sabido
sabíais	habíais	sabido
sabían	habían	sabido

Pret. perf. simple (Bello : Pretérito)	Pret. anterior (Bello : Antepretérito)	
supe	hube	sabido
supiste	hubiste	sabido
supo	hubo	sabido
supimos	hubimos	sabido
supisteis	hubisteis	sabido
supieron	hubieron	sabido

Futuro (Bello : Futuro)	Futuro perf. (Bello : Antefuturo)	
sabré	habré	sabido
sabrás	habrás	sabido
sabrá	habrá	sabido
sabremos	habremos	sabido
sabréis	habréis	sabido
sabrán	habrán	sabido

Condicional (Bello : Pospretérito)	Condicional perf. (Bello : Antepospretérito)	
sabría	habría	sabido
sabrías	habrías	sabido
sabría	habría	sabido
sabríamos	habríamos	sabido
sabríais	habríais	sabido
sabrían	habrían	sabido

___ SUBJUNTIVO___

Presente (Bello : Presente)	Pret. perf. (Bello : Antepresente)	
sepa	haya	sabido
sepas	hayas	sabido
sepa	haya	sabido
sepamos	hayamos	sabido
sepáis	hayáis	sabido
sepan	hayan	sabido

Pret. imperf. (Bello : Pretérito)	Pret. pluscuamp. (Bello : Antepretérito)	
supiera	hubiera	
o supiese	o hubiese	sabido
supieras	hubieras	
o supieses	o hubieses	sabido
supiera	hubiera	
o supiese	o hubiese	sabido
supiéramos	hubiéramos	
o supiésemos	o hubiésemos	sabido
supierais	hubierais	
o supieseis	o hubieseis	sabido
supieran	hubieran	
o supiesen	o hubiesen	sabido

Futuro (Bello : Futuro)	Futuro perf. (Bello : Antefuturo)	
supiere	hubiere	sabido
supieres	hubieres	sabido
supiere	hubiere	sabido
supiéremos	hubiéremos	sabido
supiereis	hubiereis	sabido
supieren	hubieren	sabido

___ IMPERATIVO___

Presente	
sabe	tú
sepa	él
sepamos	nosotros
sabed	vosotros
sepan	ellos

___ FORMAS NO PERSONALES___

Infinitivo	Infinitivo compuesto
saber	haber sabido
Gerundio	Gerundio compuesto
sabiendo	habiendo sabido
Participio	
sabido	

50 caer

___ INDICATIVO ___

Presente
(Bello : Presente)

caigo
caes
cae
caemos
caéis
caen

Pret. perf. comp.
(Bello : Antepresente)

he	caído
has	caído
ha	caído
hemos	caído
habéis	caído
han	caído

Pret. imperf.
(Bello : Copretérito)

caía
caías
caía
caíamos
caíais
caían

Pret. pluscuamp.
(Bello : Antecopretérito)

había	caído
habías	caído
había	caído
habíamos	caído
habíais	caído
habían	caído

Pret. perf. simple
(Bello : Pretérito)

caí
caíste
cayó
caímos
caísteis
cayeron

Pret. anterior
(Bello : Antepretérito)

hube	caído
hubiste	caído
hubo	caído
hubimos	caído
hubisteis	caído
hubieron	caído

Futuro
(Bello : Futuro)

caeré
caerás
caerá
caeremos
caeréis
caerán

Futuro perf.
(Bello : Antefuturo)

habré	caído
habrás	caído
habrá	caído
habremos	caído
habréis	caído
habrán	caído

Condicional
(Bello : Pospretérito)

caería
caerías
caería
caeríamos
caeríais
caerían

Condicional perf.
(Bello : Antepospretérito)

habría	caído
habrías	caído
habría	caído
habríamos	caído
habríais	caído
habrían	caído

___ SUBJUNTIVO ___

Presente
(Bello : Presente)

caiga
caigas
caiga
caigamos
caigáis
caigan

Pret. perf.
(Bello : Antepresente)

haya	caído
hayas	caído
haya	caído
hayamos	caído
hayáis	caído
hayan	caído

Pret. imperf.
(Bello : Pretérito)

cayera
o cayese
cayeras
o cayeses
cayera
o cayese
cayéramos
o cayésemos
cayerais
o cayeseis
cayeran
o cayesen

Pret. pluscuamp.
(Bello : Antepretérito)

hubiera	
o hubiese	caído
hubieras	
o hubieses	caído
hubiera	
o hubiese	caído
hubiéramos	
o hubiésemos	caído
hubierais	
o hubieseis	caído
hubieran	
o hubiesen	caído

Futuro
(Bello : Futuro)

cayere
cayeres
cayere
cayéremos
cayereis
cayeren

Futuro perf.
(Bello : Antefuturo)

hubiere	caído
hubieres	caído
hubiere	caído
hubiéremos	caído
hubiereis	caído
hubieren	caído

___ IMPERATIVO ___

Presente

cae	tú
caiga	él
caigamos	nosotros
caed	vosotros
caigan	ellos

___ FORMAS NO PERSONALES ___

Infinitivo
caer

Infinitivo compuesto
haber caído

Gerundio
cayendo

Gerundio compuesto
habiendo caído

Participio
caído

51 traer

___ INDICATIVO ___

Presente (Bello : Presente)	Pret. perf. comp. (Bello : Antepresente)	
traigo	he	traído
traes	has	traído
trae	ha	traído
traemos	hemos	traído
traéis	habéis	traído
traen	han	traído

Pret. imperf. (Bello : Copretérito)	Pret. pluscuamp. (Bello : Antecopretérito)	
traía	había	traído
traías	habías	traído
traía	había	traído
traíamos	habíamos	traído
traíais	habíais	traído
traían	habían	traído

Pret. perf. simple (Bello : Pretérito)	Pret. anterior (Bello : Antepretérito)	
traje	hube	traído
trajiste	hubiste	traído
trajo	hubo	traído
trajimos	hubimos	traído
trajisteis	hubisteis	traído
trajeron	hubieron	traído

Futuro (Bello : Futuro)	Futuro perf. (Bello : Antefuturo)	
traeré	habré	traído
traerás	habrás	traído
traerá	habrá	traído
traeremos	habremos	traído
traeréis	habréis	traído
traerán	habrán	traído

Condicional (Bello : Pospretérito)	Condicional perf. (Bello : Antepospretérito)	
traería	habría	traído
traerías	habrías	traído
traería	habría	traído
traeríamos	habríamos	traído
traeríais	habríais	traído
traerían	habrían	traído

___ SUBJUNTIVO ___

Presente (Bello : Presente)	Pret. perf. (Bello : Antepresente)	
traiga	haya	traído
traigas	hayas	traído
traiga	haya	traído
traigamos	hayamos	traído
traigáis	hayáis	traído
traigan	hayan	traído

Pret. imperf. (Bello : Pretérito)	Pret. pluscuamp. (Bello : Antepretérito)	
trajera	hubiera	
o trajese	o hubiese	traído
trajeras	hubieras	
o trajeses	o hubieses	traído
trajera	hubiera	
o trajese	o hubiese	traído
trajéramos	hubiéramos	
o trajésemos	o hubiésemos	traído
trajerais	hubierais	
o trajeseis	o hubieseis	traído
trajeran	hubieran	
o trajesen	o hubiesen	traído

Futuro (Bello : Futuro)	Futuro perf. (Bello : Antefuturo)	
trajere	hubiere	traído
trajeres	hubieres	traído
trajere	hubiere	traído
trajéremos	hubiéremos	traído
trajereis	hubiereis	traído
trajeren	hubieren	traído

___ IMPERATIVO ___

Presente

trae	tú
traiga	él
traigamos	nosotros
traed	vosotros
traigan	ellos

___ FORMAS NO PERSONALES ___

Infinitivo	Infinitivo compuesto
traer	haber traído
Gerundio	Gerundio compuesto
trayendo	habiendo traído
Participio	
traído	

74

52 raer

___ INDICATIVO ___

Presente (Bello : Presente)	Pret. perf. comp. (Bello : Antepresente)	
rao*	he	raído
raes	has	raído
rae	ha	raído
raemos	hemos	raído
raéis	habéis	raído
raen	han	raído

Pret. imperf. (Bello : Copretérito)	Pret. pluscuamp. (Bello : Antecopretérito)	
raía	había	raído
raías	habías	raído
raía	había	raído
raíamos	habíamos	raído
raíais	habíais	raído
raían	habían	raído

Pret. perf. simple (Bello : Pretérito)	Pret. anterior (Bello : Antepretérito)	
raí	hube	raído
raíste	hubiste	raído
rayó	hubo	raído
raímos	hubimos	raído
raísteis	hubisteis	raído
rayeron	hubieron	raído

Futuro (Bello : Futuro)	Futuro perf. (Bello : Antefuturo)	
raeré	habré	raído
raerás	habrás	raído
raerá	habrá	raído
raeremos	habremos	raído
raeréis	habréis	raído
raerán	habrán	raído

Condicional (Bello : Pospretérito)	Condicional perf. (Bello : Antepospretérito)	
raería	habría	raído
raerías	habrías	raído
raería	habría	raído
raeríamos	habríamos	raído
raeríais	habríais	raído
raerían	habrían	raído

* o raigo o rayo
** o raya. rayas, etc.

___ SUBJUNTIVO ___

Presente (Bello : Presente)	Pret. perf. (Bello : Antepresente)	
raiga**	haya	raído
raigas	hayas	raído
raiga	haya	raído
raigamos	hayamos	raído
raigáis	hayáis	raído
raigan	hayan	raído

Pret. imperf. (Bello : Pretérito)	Pret. pluscuamp. (Bello : Antepretérito)	
rayera	hubiera	
o rayese	o hubiese	raído
rayeras	hubieras	
o rayeses	o hubieses	raído
rayera	hubiera	
o rayese	o hubiese	raído
rayéramos	hubiéramos	
o rayésemos	o hubiésemos	raído
rayerais	hubierais	
o rayeseis	o hubieseis	raído
rayeran	hubieran	
o rayesen	o hubiesen	raído

Futuro (Bello : Futuro)	Futuro perf. (Bello : Antefuturo)	
rayere	hubiere	raído
rayeres	hubieres	raído
rayere	hubiere	raído
rayéremos	hubiéremos	raído
rayereis	hubiereis	raído
rayeren	hubieren	raído

___ IMPERATIVO ___

Presente

rae	tú
raiga o raya	él
raigamos o rayamos	nosotros
raed	vosotros
raigan o rayan	ellos

___ FORMAS NO PERSONALES ___

Infinitivo	Infinitivo compuesto
raer	haber raído
Gerundio	Gerundio compuesto
rayendo	habiendo raído
Participio	
raído	

53 roer

―― INDICATIVO ――

Presente (Bello : Presente)		Pret. perf. comp. (Bello : Antepresente)	
roo*		he	roído
roes		has	roído
roe		ha	roído
roemos		hemos	roído
roéis		habéis	roído
roen		han	roído

Pret. imperf. (Bello : Copretérito)		Pret. pluscuamp. (Bello : Antecopretérito)	
roía		había	roído
roías		habías	roído
roía		había	roído
roíamos		habíamos	roído
roíais		habíais	roído
roían		habían	roído

Pret. perf. simple (Bello : Pretérito)		Pret. anterior (Bello : Antepretérito)	
roí		hube	roído
roíste		hubiste	roído
royó		hubo	roído
roímos		hubimos	roído
roísteis		hubisteis	roído
royeron		hubieron	roído

Futuro (Bello : Futuro)		Futuro perf. (Bello : Antefuturo)	
roeré		habré	roído
roerás		habrás	roído
roerá		habrá	roído
roeremos		habremos	roído
roeréis		habréis	roído
roerán		habrán	roído

Condicional (Bello : Pospretérito)		Condicional perf. (Bello : Antepospretérito)	
roería		habría	roído
roerías		habrías	roído
roería		habría	roído
roeríamos		habríamos	roído
roeríais		habríais	roído
roerían		habrían	roído

―― SUBJUNTIVO ――

Presente (Bello : Presente)		Pret. perf. (Bello : Antepresente)	
roa**		haya	roído
roas		hayas	roído
roa		haya	roído
roamos		hayamos	roído
roáis		hayáis	roído
roan		hayan	roído

Pret. imperf. (Bello : Pretérito)	Pret. pluscuamp. (Bello : Antepretérito)	
royera	hubiera	
o royese	o hubiese	roído
royeras	hubieras	
o royeses	o hubieses	roído
royera	hubiera	
o royese	o hubiese	roído
royéramos	hubiéramos	
o royésemos	o hubiésemos	roído
royerais	hubierais	
o royeseis	o hubieseis	roído
royeran	hubieran	
o royesen	o hubiesen	roído

Futuro (Bello : Futuro)		Futuro perf. (Bello : Antefuturo)	
royere		hubiere	roído
royeres		hubieres	roído
royere		hubiere	roído
royéremos		hubiéremos	roído
royereis		hubiereis	roído
royeren		hubieren	roído

―― IMPERATIVO ――

Presente

roe	tú
roa, roiga o roya	él
roamos, roigamos o royamos	nosotros
roed	vosotros
roan, roigan o royan	ellos

―― FORMAS NO PERSONALES ――

Infinitivo	Infinitivo compuesto
roer	haber roído

Gerundio	Gerundio compuesto
royendo	habiendo roído

Participio
roído

* o roigo o royo
** o roiga o roya. roigas o royas, etc.

54 leer

___ INDICATIVO ___

Presente (Bello : Presente)	Pret. perf. comp. (Bello : Antepresente)	
leo	he	leído
lees	has	leído
lee	ha	leído
leemos	hemos	leído
leéis	habéis	leído
leen	han	leído

Pret. imperf. (Bello : Copretérito)	Pret. pluscuamp. (Bello : Antecopretérito)	
leía	había	leído
leías	habías	leído
leía	había	leído
leíamos	habíamos	leído
leíais	habíais	leído
leían	habían	leído

Pret. perf. simple (Bello : Pretérito)	Pret. anterior (Bello : Antepretérito)	
leí	hube	leído
leíste	hubiste	leído
leyó	hubo	leído
leímos	hubimos	leído
leísteis	hubisteis	leído
leyeron	hubieron	leído

Futuro (Bello : Futuro)	Futuro perf. (Bello : Antefuturo)	
leeré	habré	leído
leerás	habrás	leído
leerá	habrá	leído
leeremos	habremos	leído
leeréis	habréis	leído
leerán	habrán	leído

Condicional (Bello : Pospretérito)	Condicional perf. (Bello : Antepospretérito)	
leería	habría	leído
leerías	habrías	leído
leería	habría	leído
leeríamos	habríamos	leído
leeríais	habríais	leído
leerían	habrían	leído

___ SUBJUNTIVO ___

Presente (Bello : Presente)	Pret. perf. (Bello : Antepresente)	
lea	haya	leído
leas	hayas	leído
lea	haya	leído
leamos	hayamos	leído
leáis	hayáis	leído
lean	hayan	leído

Pret. imperf. (Bello : Pretérito)	Pret. pluscuamp. (Bello : Antepretérito)	
leyera	hubiera	
o leyese	o hubiese	leído
leyeras	hubieras	
o leyeses	o hubieses	leído
leyera	hubiera	
o leyese	o hubiese	leído
leyéramos	hubiéramos	
o leyésemos	o hubiésemos	leído
leyerais	hubierais	
o leyeseis	o hubieseis	leído
leyeran	hubieran	
o leyesen	o hubiesen	leído

Futuro (Bello : Futuro)	Futuro perf. (Bello : Antefuturo)	
leyere	hubiere	leído
leyeres	hubieres	leído
leyere	hubiere	leído
leyéremos	hubiéremos	leído
leyereis	hubiereis	leído
leyeren	hubieren	leído

___ IMPERATIVO ___

Presente

lee	tú
lea	él
leamos	nosotros
leed	vosotros
lean	ellos

___ FORMAS NO PERSONALES ___

Infinitivo	Infinitivo compuesto
leer	haber leído
Gerundio	Gerundio compuesto
leyendo	habiendo leído
Participio	
leído	

55 ver

―― INDICATIVO ――

Presente (Bello : Presente)		Pret. perf. comp. (Bello : Antepresente)	
veo		he	visto
ves		has	visto
ve		ha	visto
vemos		hemos	visto
veis		habéis	visto
ven		han	visto

Pret. imperf. (Bello : Copretérito)		Pret. pluscuamp. (Bello : Antecopretérito)	
veía		había	visto
veías		habías	visto
veía		había	visto
veíamos		habíamos	visto
veíais		habíais	visto
veían		habían	visto

Pret. perf. simple (Bello : Pretérito)		Pret. anterior (Bello : Antepretérito)	
vi		hube	visto
viste		hubiste	visto
vio		hubo	visto
vimos		hubimos	visto
visteis		hubisteis	visto
vieron		hubieron	visto

Futuro (Bello : Futuro)		Futuro perf. (Bello : Antefuturo)	
veré		habré	visto
verás		habrás	visto
verá		habrá	visto
veremos		habremos	visto
veréis		habréis	visto
verán		habrán	visto

Condicional (Bello : Pospretérito)		Condicional perf. (Bello : Antepospretérito)	
vería		habría	visto
verías		habrías	visto
vería		habría	visto
veríamos		habríamos	visto
veríais		habríais	visto
verían		habrían	visto

―― SUBJUNTIVO ――

Presente (Bello : Presente)		Pret. perf. comp. (Bello : Antepresente)	
vea		haya	visto
veas		hayas	visto
vea		haya	visto
veamos		hayamos	visto
veáis		hayáis	visto
vean		hayan	visto

Pret. imperf. (Bello : Pretérito)		Pret. pluscuamp. (Bello : Antepretérito)	
viera		hubiera	
o viese		o hubiese	visto
vieras		hubieras	
o vieses		o hubieses	visto
viera		hubiera	
o viese		o hubiese	visto
viéramos		hubiéramos	
o viésemos		o hubiésemos	visto
vierais		hubierais	
o vieseis		o hubieseis	visto
vieran		hubieran	
o viesen		o hubiesen	visto

Futuro (Bello : Futuro)		Futuro perf. (Bello : Antefuturo)	
viere		hubiere	visto
vieres		hubieres	visto
viere		hubiere	visto
viéremos		hubiéremos	visto
viereis		hubiereis	visto
vieren		hubieren	visto

―― IMPERATIVO ――

Presente

ve	tú
vea	él
veamos	nosotros
ved	vosotros
vean	ellos

―― FORMAS NO PERSONALES ――

Infinitivo	**Infinitivo compuesto**
ver	haber visto
Gerundio	**Gerundio compuesto**
viendo	habiendo visto
Participio	
visto	

56 dar

Presente (Bello : Presente)	Pret. perf. comp. (Bello : Antepresente)		Presente (Bello : Presente)	Pret. perf. (Bello : Antepresente)	
doy	he	dado	dé	haya	dado
das	has	dado	des	hayas	dado
da	ha	dado	dé	haya	dado
damos	hemos	dado	demos	hayamos	dado
dais	habéis	dado	deis	hayáis	dado
dan	han	dado	den	hayan	dado

Pret. imperf. (Bello : Copretérito)	Pret. pluscuamp. (Bello : Antecopretérito)		Pret. imperf. (Bello : Pretérito)	Pret. pluscuamp. (Bello : Antepretérito)	
daba	había	dado	diera	hubiera	
dabas	habías	dado	o diese	o hubiese	dado
daba	había	dado	dieras	hubieras	
dábamos	habíamos	dado	o dieses	o hubieses	dado
dabais	habíais	dado	diera	hubiera	
daban	habían	dado	o diese	o hubiese	dado
			diéramos	hubiéramos	
			o diésemos	o hubiésemos	dado
			dierais	hubierais	
			o dieseis	o hubieseis	dado
			dieran	hubieran	
			o diesen	o hubiesen	dado

Pret. perf. simple (Bello : Pretérito)	Pret. anterior (Bello : Antepretérito)	
di	hube	dado
diste	hubiste	dado
dio	hubo	dado
dimos	hubimos	dado
disteis	hubisteis	dado
dieron	hubieron	dado

Futuro (Bello : Futuro)	Futuro perf. (Bello : Antefuturo)	
diere	hubiere	dado
dieres	hubieres	dado
diere	hubiere	dado
diéremos	hubiéremos	dado
diereis	hubiereis	dado
dieren	hubieren	dado

Futuro (Bello : Futuro)	Futuro perf. (Bello : Antefuturo)	
daré	habré	dado
darás	habrás	dado
dará	habrá	dado
daremos	habremos	dado
daréis	habréis	dado
darán	habrán	dado

IMPERATIVO

Presente

da	tú
dé	él
demos	nosotros
dad	vosotros
den	ellos

Condicional (Bello : Pospretérito)	Condicional perf. (Bello : Antepospretérito)	
daría	habría	dado
darías	habrías	dado
daría	habría	dado
daríamos	habríamos	dado
daríais	habríais	dado
darían	habrían	dado

FORMAS NO PERSONALES

Infinitivo	Infinitivo compuesto
dar	haber dado
Gerundio	Gerundio compuesto
dando	habiendo dado
Participio	
dado	

79

57 estar

INDICATIVO

Presente (Bello : Presente)	Pret. perf. comp. (Bello : Antepresente)	
estoy	he	estado
estás	has	estado
está	ha	estado
estamos	hemos	estado
estáis	habéis	estado
están	han	estado

Pret. imperf. (Bello : Copretérito)	Pret. pluscuamp. (Bello : Antecopretérito)	
estaba	había	estado
estabas	habías	estado
estaba	había	estado
estábamos	habíamos	estado
estabais	habíais	estado
estaban	habían	estado

Pret. perf. simple (Bello : Pretérito)	Pret. anterior (Bello : Antepretérito)	
estuve	hube	estado
estuviste	hubiste	estado
estuvo	hubo	estado
estuvimos	hubimos	estado
estuvisteis	hubisteis	estado
estuvieron	hubieron	estado

Futuro (Bello : Futuro)	Futuro perf. (Bello : Antefuturo)	
estaré	habré	estado
estarás	habrás	estado
estará	habrá	estado
estaremos	habremos	estado
estaréis	habréis	estado
estarán	habrán	estado

Condicional (Bello : Pospretérito)	Condicional perf. (Bello : Antepospretérito)	
estaría	habría	estado
estarías	habrías	estado
estaría	habría	estado
estaríamos	habríamos	estado
estaríais	habríais	estado
estarían	habrían	estado

SUBJUNTIVO

Presente (Bello : Presente)	Pret. perf. (Bello : Antepresente)	
esté	haya	estado
estés	hayas	estado
esté	haya	estado
estemos	hayamos	estado
estéis	hayáis	estado
estén	hayan	estado

Pret. imperf. (Bello : Pretérito)	Pret. pluscuamp. (Bello : Antepretérito)	
estuviera	hubiera	
o estuviese	o hubiese	estado
estuvieras	hubieras	
o estuvieses	o hubieses	estado
estuviera	hubiera	
o estuviese	o hubiese	estado
estuviéramos	hubiéramos	
o estuviésemos	o hubiésemos	estado
estuvierais	hubierais	
o estuvieseis	o hubieseis	estado
estuvieran	hubieran	
o estuviesen	o hubiesen	estado

Futuro (Bello : Futuro)	Futuro perf. (Bello : Antefuturo)	
estuviere	hubiere	estado
estuvieres	hubieres	estado
estuviere	hubiere	estado
estuviéremos	hubiéremos	estado
estuviereis	hubiereis	estado
estuvieren	hubieren	estado

IMPERATIVO

Presente

está	tú
esté	él
estemos	nosotros
estad	vosotros
estén	ellos

FORMAS NO PERSONALES

Infinitivo	Infinitivo compuesto
estar	haber estado
Gerundio	Gerundio compuesto
estando	habiendo estado
Participio	
estado	

58 ir

INDICATIVO

Presente
(Bello : Presente)

voy
vas
va
vamos
vais
van

Pret. perf. comp.
(Bello : Antepresente)

he ido
has ido
ha ido
hemos ido
habéis ido
han ido

Pret. imperf.
(Bello : Copretérito)

iba
ibas
iba
íbamos
ibais
iban

Pret. pluscuamp.
(Bello : Antecopretérito)

había ido
habías ido
había ido
habíamos ido
habíais ido
habían ido

Pret. perf. simple
(Bello : Pretérito)

fui
fuiste
fue
fuimos
fuisteis
fueron

Pret. anterior
(Bello : Antepretérito)

hube ido
hubiste ido
hubo ido
hubimos ido
hubisteis ido
hubieron ido

Futuro
(Bello : Futuro)

iré
irás
irá
iremos
iréis
irán

Futuro perf.
(Bello : Antefuturo)

habré ido
habrás ido
habrá ido
habremos ido
habréis ido
habrán ido

Condicional
(Bello : Pospretérito)

iría
irías
iría
iríamos
iríais
irían

Condicional perf.
(Bello : Antepospretérito)

habría ido
habrías ido
habría ido
habríamos ido
habríais ido
habrían ido

SUBJUNTIVO

Presente
(Bello : Presente)

vaya
vayas
vaya
vayamos
vayáis
vayan

Pret. perf.
(Bello : Antepresente)

haya ido
hayas ido
haya ido
hayamos ido
hayáis ido
hayan ido

Pret. imperf.
(Bello : Pretérito)

fuera
o fuese
fueras
o fueses
fuera
o fuese
fuéramos
o fuésemos
fuerais
o fueseis
fueran
o fuesen

Pret. pluscuamp.
(Bello : Antepretérito)

hubiera
o hubiese ido
hubieras
o hubieses ido
hubiera
o hubiese ido
hubiéramos
o hubiésemos ido
hubierais
o hubieseis ido
hubieran
o hubiesen ido

Futuro
(Bello : Futuro)

fuere
fueres
fuere
fuéremos
fuereis
fueren

Futuro perf.
(Bello : Antefuturo)

hubiere ido
hubieres ido
hubiere ido
hubiéremos ido
hubiereis ido
hubieren ido

IMPERATIVO

Presente

ve tú
vaya él
vayamos nosotros
id vosotros
vayan ellos

FORMAS NO PERSONALES

Infinitivo
ir

Infinitivo compuesto
haber ido

Gerundio
yendo

Gerundio compuesto
habiendo ido

Participio
ido

59 andar

─── INDICATIVO ───

Presente (Bello : Presente)		Pret. perf. comp. (Bello : Antepresente)	
ando		he	andado
andas		has	andado
anda		ha	andado
andamos		hemos	andado
andáis		habéis	andado
andan		han	andado

Pret. impert. (Bello : Copretérito)		Pret. pluscuamp. (Bello : Antecopretérito)	
andaba		había	andado
andabas		habías	andado
andaba		había	andado
andábamos		habíamos	andado
andabais		habíais	andado
andaban		habían	andado

Pret. perf. simple (Bello : Pretérito)		Pret. anterior (Bello : Antepretérito)	
anduve		hube	andado
anduviste		hubiste	andado
anduvo		hubo	andado
anduvimos		hubimos	andado
anduvisteis		hubisteis	andado
anduvieron		hubieron	andado

Futuro (Bello : Futuro)		Futuro perf. (Bello : Antefuturo)	
andaré		habré	andado
andarás		habrás	andado
andará		habrá	andado
andaremos		habremos	andado
andaréis		habréis	andado
andarán		habrán	andado

Condicional (Bello : Pospretérito)		Condicional perf. (Bello : Antepospretérito)	
andaría		habría	andado
andarías		habrías	andado
andaría		habría	andado
andaríamos		habríamos	andado
andaríais		habríais	andado
andarían		habrían	andado

─── SUBJUNTIVO ───

Presente (Bello : Presente)		Pret. perf. (Bello : Antepresente)	
ande		haya	andado
andes		hayas	andado
ande		haya	andado
andemos		hayamos	andado
andéis		hayáis	andado
anden		hayan	andado

Pret. imperf. (Bello : Pretérito)		Pret. pluscuamp. (Bello : Antepretérito)	
anduviera		hubiera	
o anduviese		o hubiese	andado
anduvieras		hubieras	
o anduvieses		o hubieses	andado
anduviera		hubiera	
o anduviese		o hubiese	andado
anduviéramos		hubiéramos	
o anduviésemos		o hubiésemos	andado
anduvierais		hubierais	
o anduvieseis		o hubieseis	andado
anduvieran		hubieran	
o anduviesen		o hubiesen	andado

Futuro (Bello : Futuro)		Futuro perf. (Bello : Antefuturo)	
anduviere		hubiere	andado
anduvieres		hubieres	andado
anduviere		hubiere	andado
anduviéremos		hubiéremos	andado
anduviereis		hubiereis	andado
anduvieren		hubieren	andado

─── IMPERATIVO ───

Presente

anda	tú
ande	él
andemos	nosotros
andad	vosotros
anden	ellos

─── FORMAS NO PERSONALES ───

Infinitivo	Infinitivo compuesto
andar	haber andado
Gerundio	**Gerundio compuesto**
andando	habiendo andado
Participio	
andado	

60 trocar

Presente
(Bello : Presente)

trueco
truecas
trueca
trocamos
trocáis
truecan

Pret. perf. comp.
(Bello : Antepresente)

he trocado
has trocado
ha trocado
hemos trocado
habéis trocado
han trocado

Pret. imperf.
(Bello : Copretérito)

trocaba
trocabas
trocaba
trocábamos
trocabais
trocaban

Pret. pluscuamp.
(Bello : Antecopretérito)

había trocado
habías trocado
había trocado
habíamos trocado
habíais trocado
habían trocado

Pret. perf. simple
(Bello : Pretérito)

troqué
trocaste
trocó
trocamos
trocasteis
trocaron

Pret. anterior
(Bello : Antepretérito)

hube trocado
hubiste trocado
hubo trocado
hubimos trocado
hubisteis trocado
hubieron trocado

Futuro
(Bello : Futuro)

trocaré
trocarás
trocará
trocaremos
trocaréis
trocarán

Futuro perf.
(Bello : Antefuturo)

habré trocado
habrás trocado
habrá trocado
habremos trocado
habréis trocado
habrán trocado

Condicional
(Bello : Pospretérito)

trocaría
trocarías
trocaría
trocaríamos
trocaríais
trocarían

Condicional perf.
(Bello : Antepospretérito)

habría trocado
habrías trocado
habría trocado
habríamos trocado
habríais trocado
habrían trocado

Presente
(Bello : Presente)

trueque
trueques
trueque
troquemos
troquéis
truequen

Pret. perf.
(Bello : Antepresente)

haya trocado
hayas trocado
haya trocado
hayamos trocado
hayáis trocado
hayan trocado

Pret. imperf.
(Bello : Pretérito)

trocara
o trocase
trocaras
o trocases
trocara
o trocase
trocáramos
o trocásemos
trocarais
o trocaseis
trocaran
o trocasen

Pret. pluscuamp.
(Bello : Antepretérito)

hubiera
o hubiese trocado
hubieras
o hubieses trocado
hubiera
o hubiese trocado
hubiéramos
o hubiésemos trocado
hubierais
o hubieseis trocado
hubieran
o hubiesen trocado

Futuro
(Bello : Futuro)

trocare
trocares
trocare
trocáremos
trocareis
trocaren

Futuro perf.
(Bello : Antefuturo)

hubiere trocado
hubieres trocado
hubiere trocado
hubiéremos trocado
hubiereis trocado
hubieren trocado

Presente

trueca tú
trueque él
troquemos nosotros
trocad vosotros
truequen ellos

Infinitivo
trocar

Infinitivo compuesto
haber trocado

Gerundio
trocando

Gerundio compuesto
habiendo trocado

Participio
trocado

61 colgar

—— INDICATIVO ——

Presente (Bello : Presente)	Pret. perf. comp. (Bello : Antepresente)	
cuelgo	he	colgado
cuelgas	has	colgado
cuelga	ha	colgado
colgamos	hemos	colgado
colgáis	habéis	colgado
cuelgan	han	colgado

Pret. imperf. (Bello : Copretérito)	Pret. pluscuamp. (Bello : Antecopretérito)	
colgaba	había	colgado
colgabas	habías	colgado
colgaba	había	colgado
colgábamos	habíamos	colgado
colgabais	habíais	colgado
colgaban	habían	colgado

Pret. perf. simple (Bello : Pretérito)	Pret. anterior (Bello : Antepretérito)	
colgué	hube	colgado
colgaste	hubiste	colgado
colgó	hubo	colgado
colgamos	hubimos	colgado
colgasteis	hubisteis	colgado
colgaron	hubieron	colgado

Futuro (Bello : Futuro)	Futuro perf. (Bello : Antefuturo)	
colgaré	habré	colgado
colgarás	habrás	colgado
colgará	habrá	colgado
colgaremos	habremos	colgado
colgaréis	habréis	colgado
colgarán	habrán	colgado

Condicional (Bello : Pospretérito)	Condicional perf. (Bello : Antepospretérito)	
colgaría	habría	colgado
colgarías	habrías	colgado
colgaría	habría	colgado
colgaríamos	habríamos	colgado
colgaríais	habríais	colgado
colgarían	habrían	colgado

—— SUBJUNTIVO ——

Presente (Bello : Presente)	Pret. perf. (Bello : Antepresente)	
cuelgue	haya	colgado
cuelgues	hayas	colgado
cuelgue	haya	colgado
colguemos	hayamos	colgado
colguéis	hayáis	colgado
cuelguen	hayan	colgado

Pret. imperf. (Bello : Pretérito)	Pret. pluscuamp. (Bello : Antepretérito)	
colgara	hubiera	
o colgase	o hubiese	colgado
colgaras	hubieras	
o colgases	o hubieses	colgado
colgara	hubiera	
o colgase	o hubiese	colgado
colgáramos	hubiéramos	
o colgásemos	o hubiésemos	colgado
colgarais	hubierais	
o colgaseis	o hubieseis	colgado
colgaran	hubieran	
o colgasen	o hubiesen	colgado

Futuro (Bello : Futuro)	Futuro perf. (Bello : Antefuturo)	
colgare	hubiere	colgado
colgares	hubieres	colgado
colgare	hubiere	colgado
colgáremos	hubiéremos	colgado
colgareis	hubiereis	colgado
colgaren	hubieren	colgado

—— IMPERATIVO ——

Presente

cuelga	tú
cuelgue	él
colguemos	nosotros
colgad	vosotros
cuelguen	ellos

—— FORMAS NO PERSONALES ——

Infinitivo	Infinitivo compuesto
colgar	haber colgado
Gerundio	Gerundio compuesto
colgando	habiendo colgado
Participio	
colgado	

62 agorar

INDICATIVO

Presente
(Bello : Presente)

agüero
agüeras
agüera
agoramos
agoráis
agüeran

Pret. perf. comp.
(Bello : Antepresente)

he agorado
has agorado
ha agorado
hemos agorado
habéis agorado
han agorado

Pret. imperf.
(Bello : Copretérito)

agoraba
agorabas
agoraba
agorábamos
agorabais
agoraban

Pret. pluscuamp.
(Bello : Antecopretérito)

había agorado
habías agorado
había agorado
habíamos agorado
habíais agorado
habían agorado

Pret. perf. simple
(Bello : Pretérito)

agoré
agoraste
agoró
agoramos
agorasteis
agoraron

Pret. anterior
(Bello : Antepretérito)

hube agorado
hubiste agorado
hubo agorado
hubimos agorado
hubisteis agorado
hubieron agorado

Futuro
(Bello : Futuro)

agoraré
agorarás
agorará
agoraremos
agoraréis
agorarán

Futuro perf.
(Bello : Antefuturo)

habré agorado
habrás agorado
habrá agorado
habremos agorado
habréis agorado
habrán agorado

Condicional
(Bello : Pospretérito)

agoraría
agorarías
agoraría
agoraríamos
agoraríais
agorarían

Condicional perf.
(Bello : Antepospretérito)

habría agorado
habrías agorado
habría agorado
habríamos agorado
habríais agorado
habrían agorado

SUBJUNTIVO

Presente
(Bello : Presente)

agüere
agüeres
agüere
agoremos
agoréis
agüeren

Pret. perf.
(Bello : Antepresente)

haya agorado
hayas agorado
haya agorado
hayamos agorado
hayáis agorado
hayan agorado

Pret. imperf.
(Bello : Pretérito)

agorara
o agorase
agoraras
o agorases
agorara
o agorase
agoráramos
o agorásemos
agorarais
o agoraseis
agoraran
o agorasen

Pret. pluscuamp.
(Bello : Antepretérito)

hubiera
o hubiese agorado
hubieras
o hubieses agorado
hubiera
o hubiese agorado
hubiéramos
o hubiésemos agorado
hubierais
o hubieseis agorado
hubieran
o hubiesen agorado

Futuro
(Bello : Futuro)

agorare
agorares
agorare
agoráremos
agorareis
agoraren

Futuro perf.
(Bello : Antefuturo)

hubiere agorado
hubieres agorado
hubiere agorado
hubiéremos agorado
hubiereis agorado
hubieren agorado

IMPERATIVO

Presente

agüera tú
agüere él
agoremos nosotros
agorad vosotros
agüeren ellos

FORMAS NO PERSONALES

Infinitivo
agorar

Infinitivo compuesto
haber agorado

Gerundio
agorando

Gerundio compuesto
habiendo agorado

Participio
agorado

63 negar

Presente
(Bello : Presente)

niego	
niegas	
niega	
negamos	
negáis	
niegan	

Pret. perf. comp.
(Bello : Antepresente)

he	negado
has	negado
ha	negado
hemos	negado
habéis	negado
han	negado

Presente
(Bello : Presente)

niegue	
niegues	
niegue	
neguemos	
neguéis	
nieguen	

Pret. perf.
(Bello : Antepresente)

haya	negado
hayas	negado
haya	negado
hayamos	negado
hayáis	negado
hayan	negado

Pret. imperf.
(Bello : Copretérito)

negaba	
negabas	
negaba	
negábamos	
negabais	
negaban	

Pret. pluscuamp.
(Bello : Antecopretérito)

había	negado
habías	negado
había	negado
habíamos	negado
habíais	negado
habían	negado

Pret. imperf.
(Bello : Pretérito)

negara	
o negase	
negaras	
o negases	
negara	
o negase	
negáramos	
o negásemos	
negarais	
o negaseis	
negaran	
o negasen	

Pret. pluscuamp.
(Bello : Antepretérito)

hubiera	
o hubiese	negado
hubieras	
o hubieses	negado
hubiera	
o hubiese	negado
hubiéramos	
o hubiésemos	negado
hubierais	
o hubieseis	negado
hubieran	
o hubiesen	negado

Pret. perf. simple
(Bello : Pretérito)

negué	
negaste	
negó	
negamos	
negasteis	
negaron	

Pret. anterior
(Bello : Antepretérito)

hube	negado
hubiste	negado
hubo	negado
hubimos	negado
hubisteis	negado
hubieron	negado

Futuro
(Bello : Futuro)

negare	
negares	
negare	
negáremos	
negareis	
negaren	

Futuro perf.
(Bello : Antefuturo)

hubiere	negado
hubieres	negado
hubiere	negado
hubiéremos	negado
hubiereis	negado
hubieren	negado

Futuro
(Bello : Futuro)

negaré	
negarás	
negará	
negaremos	
negaréis	
negarán	

Futuro perf.
(Bello : Antefuturo)

habré	negado
habrás	negado
habrá	negado
habremos	negado
habréis	negado
habrán	negado

Presente

niega	tú
niegue	él
neguemos	nosotros
negad	vosotros
nieguen	ellos

Condicional
(Bello : Pospretérito)

negaría	
negarías	
negaría	
negaríamos	
negaríais	
negarían	

Condicional perf.
(Bello : Antepospretérito)

habría	negado
habrías	negado
habría	negado
habríamos	negado
habríais	negado
habrían	negado

Infinitivo negar	**Infinitivo compuesto** haber negado
Gerundio negando	**Gerundio compuesto** habiendo negado
Participio negado	

64 comenzar

___ INDICATIVO ___

Presente
(Bello : Presente)

comienzo
comienzas
comienza
comenzamos
comenzáis
comienzan

Pret. perf. comp.
(Bello : Antepresente)

he comenzado
has comenzado
ha comenzado
hemos comenzado
habéis comenzado
han comenzado

Pret. imperf.
(Bello : Copretérito)

comenzaba
comenzabas
comenzaba
comenzábamos
comenzabais
comenzaban

Pret. pluscuamp.
(Bello : Antecopretérito)

había comenzado
habías comenzado
había comenzado
habíamos comenzado
habíais comenzado
habían comenzado

Pret. perf. simple
(Bello : Pretérito)

comencé
comenzaste
comenzó
comenzamos
comenzasteis
comenzaron

Pret. anterior
(Bello : Antepretérito)

hube comenzado
hubiste comenzado
hubo comenzado
hubimos comenzado
hubisteis comenzado
hubieron comenzado

Futuro
(Bello : Futuro)

comenzaré
comenzarás
comenzará
comenzaremos
comenzaréis
comenzarán

Futuro perf.
(Bello : Antefuturo)

habré comenzado
habrás comenzado
habrá comenzado
habremos comenzado
habréis comenzado
habrán comenzado

Condicional
(Bello : Pospretérito)

comenzaría
comenzarías
comenzaría
comenzaríamos
comenzaríais
comenzarían

Condicional perf.
(Bello : Antepospretérito)

habría comenzado
habrías comenzado
habría comenzado
habríamos comenzado
habríais comenzado
habrían comenzado

___ SUBJUNTIVO ___

Presente
(Bello : Presente)

comience
comiences
comience
comencemos
comencéis
comiencen

Pret. perf.
(Bello : Antepresente)

haya comenzado
hayas comenzado
haya comenzado
hayamos comenzado
hayáis comenzado
hayan comenzado

Pret. imperf.
(Bello : Pretérito)

comenzara
o comenzase
comenzaras
o comenzases
comenzara
o comenzase
comenzáramos
o comenzásemos
comenzarais
o comenzaseis
comenzaran
o comenzasen

Pret. pluscuamp.
(Bello : Antepretérito)

hubiera
o hubiese comenzado
hubieras
o hubieses comenzado
hubiera
o hubiese comenzado
hubiéramos
o hubiésemos comenzado
hubierais
o hubieseis comenzado
hubieran
o hubiesen comenzado

Futuro
(Bello : Futuro)

comenzare
comenzares
comenzare
comenzáremos
comenzareis
comenzaren

Futuro perf.
(Bello : Antefuturo)

hubiere comenzado
hubieres comenzado
hubiere comenzado
hubiéremos comenzado
hubiereis comenzado
hubieren comenzado

___ IMPERATIVO ___

Presente

comienza tú
comience él
comencemos nosotros
comenzad vosotros
comiencen ellos

___ FORMAS NO PERSONALES ___

Infinitivo
comenzar

Infinitivo compuesto
haber comenzado

Gerundio
comenzando

Gerundio compuesto
habiendo comenzado

Participio
comenzado

65 avergonzar

—— INDICATIVO ——

Presente (Bello : Presente)	Pret. perf. comp. (Bello : Antepresente)	
avergüenzo	he	avergonzado
avergüenzas	has	avergonzado
avergüenza	ha	avergonzado
avergonzamos	hemos	avergonzado
avergonzáis	habéis	avergonzado
avergüenzán	han	avergonzado

Pret. imperf (Bello : Copretérito)	Pret. pluscuamp. (Bello : Antecopretérito)	
avergonzaba	había	avergonzado
avergonzabas	habías	avergonzado
avergonzaba	había	avergonzado
avergonzábamos	habíamos	avergonzado
avergonzabais	habíais	avergonzado
avergonzaban	habían	avergonzado

Pret. perf. simple (Bello : Pretérito)	Pret. anterior (Bello : Antepretérito)	
avergoncé	hube	avergonzado
avergonzaste	hubiste	avergonzado
avergonzó	hubo	avergonzado
avergonzamos	hubimos	avergonzado
avergonzasteis	hubisteis	avergonzado
avergonzaron	hubieron	avergonzado

Futuro (Bello : Futuro)	Futuro perf. (Bello : Antefuturo)	
avergonzaré	habré	avergonzado
avergonzarás	habrás	avergonzado
avergonzará	habrá	avergonzado
avergonzaremos	habremos	avergonzado
avergonzaréis	habréis	avergonzado
avergonzarán	habrán	avergonzado

Condicional (Bello : Pospretérito)	Condicional perf. (Bello : Antepospretérito)	
avergonzaría	habría	avergonzado
avergonzarías	habrías	avergonzado
avergonzaría	habría	avergonzado
avergonzaríamos	habríamos	avergonzado
avergonzaríais	habríais	avergonzado
avergonzarían	habrían	avergonzado

—— SUBJUNTIVO ——

Presente (Bello : Presente)	Pret. perf. (Bello : Antepresente)	
avergüence	haya	avergonzado
avergüences	hayas	avergonzado
avergüence	haya	avergonzado
avergoncemos	hayamos	avergonzado
avergoncéis	hayáis	avergonzado
avergüencen	hayan	avergonzado

Pret. imperf. (Bello : Pretérito)	Pret. pluscuamp. (Bello : Antepretérito)	
avergonzara	hubiera	
o avergonzase	o hubiese	avergonzado
avergonzaras	hubieras	
o avergonzases	o hubieses	avergonzado
avergonzara	hubiera	
o avergonzase	o hubiese	avergonzado
avergonzáramos	hubiéramos	
o avergonzásemos	o hubiésemos	avergonzado
avergonzarais	hubierais	
o avergonzaseis	o hubieseis	avergonzado
avergonzaran	hubieran	
o avergonzasen	o hubiesen	avergonzado

Futuro (Bello : Futuro)	Futuro perf. (Bello : Antefuturo)	
avergonzare	hubiere	avergonzado
avergonzares	hubieres	avergonzado
avergonzare	hubiere	avergonzado
avergonzáremos	hubiéremos	avergonzado
avergonzareis	hubiereis	avergonzado
avergonzaren	hubieren	avergonzado

—— IMPERATIVO ——

Presente

avergüenza	tú
avergüence	él
avergoncemos	nosotros
avergonzad	vosotros
avergüencen	ellos

—— FORMAS NO PERSONALES ——

Infinitivo avergonzar	Infinitivo compuesto haber avergonzado
Gerundio avergonzando	Gerundio compuesto habiendo avergonzado
Participio avergonzado	

66 satisfacer

___ INDICATIVO ___

Presente (Bello : Presente)	Pret. perf. comp. (Bello : Antepresente)	
satisfago	he	satisfecho
satisfaces	has	satisfecho
satisface	ha	satisfecho
satisfacemos	hemos	satisfecho
satisfacéis	habéis	satisfecho
satisfacen	han	satisfecho

Pret. imperf. (Bello : Copretérito)	Pret. pluscuamp. (Bello : Antecopretérito)	
satisfacía	había	satisfecho
satisfacías	habías	satisfecho
satisfacía	había	satisfecho
satisfacíamos	habíamos	satisfecho
satisfacíais	habíais	satisfecho
satisfacían	habían	satisfecho

Pret. perf. simple (Bello : Pretérito)	Pret. anterior (Bello : Antepretérito)	
satisfice	hube	satisfecho
satisficiste	hubiste	satisfecho
satisfizo	hubo	satisfecho
satisficimos	hubimos	satisfecho
satisficisteis	hubisteis	satisfecho
satisficieron	hubieron	satisfecho

Futuro (Bello : Futuro)	Futuro perf. (Bello : Antefuturo)	
satisfaré	habré	satisfecho
satisfarás	habrás	satisfecho
satisfará	habrá	satisfecho
satisfaremos	habremos	satisfecho
satisfaréis	habréis	satisfecho
satisfarán	habrán	satisfecho

Condicional (Bello : Pospretérito)	Condicional perf. (Bello : Antepospretérito)	
satisfaría	habría	satisfecho
satisfarías	habrías	satisfecho
satisfaría	habría	satisfecho
satisfaríamos	habríamos	satisfecho
satisfaríais	habríais	satisfecho
satisfarían	habrían	satisfecho

___ SUBJUNTIVO ___

Presente (Bello : Presente)	Pret. perf. (Bello : Antepresente)	
satisfaga	haya	satisfecho
satisfagas	hayas	satisfecho
satisfaga	haya	satisfecho
satisfagamos	hayamos	satisfecho
satisfagáis	hayáis	satisfecho
satisfagan	hayan	satisfecho

Pret. imperf. (Bello : Pretérito)	Pret. pluscuamp. (Bello : Antepretérito)	
satisficiera	hubiera	
o satisficiese	o hubiese	satisfecho
satisficieras	hubieras	
o satisficieses	o hubieses	satisfecho
satisficiera	hubiera	
o satisficiese	o hubiese	satisfecho
satisficiéramos	hubiéramos	
o satisficiésemos	o hubiésemos	satisfecho
satisficierais	hubierais	
o satisficieseis	o hubieseis	satisfecho
satisficieran	hubieran	
o satisficiesen	o hubiesen	satisfecho

Futuro (Bello : Futuro)	Futuro perf. (Bello : Antefuturo)	
satisficiere	hubiere	satisfecho
satisficieres	hubieres	satisfecho
satisficiere	hubiere	satisfecho
satisficiéremos	hubiéremos	satisfecho
satisficiereis	hubiereis	satisfecho
satisficieren	hubieren	satisfecho

___ IMPERATIVO ___

Presente

satisfaz o satisface	tú
satisfaga	él
satisfagamos	nosotros
satisfaced	vosotros
satisfagan	ellos

___ FORMAS NO PERSONALES ___

Infinitivo	Infinitivo compuesto
satisfacer	haber satisfecho

Gerundio	Gerundio compuesto
satisfaciendo	habiendo satisfecho

Participio
satisfecho

67 regir

―――― **INDICATIVO** ――――――――――

―――― **SUBJUNTIVO** ――――

Presente (Bello : Presente)	Pret. perf. comp. (Bello : Antepresente)		Presente (Bello : Presente)	Pret. perf. (Bello : Antepresente)	
rijo	he	regido	rija	haya	regido
riges	has	regido	rijas	hayas	regido
rige	ha	regido	rija	haya	regido
regimos	hemos	regido	rijamos	hayamos	regido
regís	habéis	regido	rijáis	hayáis	regido
rigen	han	regido	rijan	hayan	regido

Pret. imperf. (Bello : Copretérito)	Pret. pluscuamp. (Bello : Antecopretérito)		Pret. imperf. (Bello : Pretérito)	Pret. pluscuamp. (Bello : Antepretérito)	
regía	había	regido	rigiera	hubiera	
regías	habías	regido	o rigiese	o hubiese	regido
regía	había	regido	rigieras	hubieras	
regíamos	habíamos	regido	o rigieses	o hubieses	regido
regíais	habíais	regido	rigiera	hubiera	
regían	habían	regido	o rigiese	o hubiese	regido
			rigiéramos	hubiéramos	
			o rigiésemos	o hubiésemos	regido
			rigierais	hubierais	
			o rigieseis	o hubieseis	regido
			rigieran	hubieran	
			o rigiesen	o hubiesen	regido

Pret. perf. simple (Bello : Pretérito)	Pret. anterior (Bello : Antepretérito)	
regí	hube	regido
registe	hubiste	regido
rigió	hubo	regido
regimos	hubimos	regido
registeis	hubisteis	regido
rigieron	hubieron	regido

Futuro (Bello : Futuro)	Futuro perf. (Bello : Antefuturo)	
rigiere	hubiere	regido
rigieres	hubieres	regido
rigiere	hubiere	regido
rigiéremos	hubiéremos	regido
rigiereis	hubiereis	regido
rigieren	hubieren	regido

Futuro (Bello : Futuro)	Futuro perf. (Bello : Antefuturo)	
regiré	habré	regido
regirás	habrás	regido
regirá	habrá	regido
regiremos	habremos	regido
regiréis	habréis	regido
regirán	habrán	regido

―――― **IMPERATIVO** ――――

Presente

rige	tú
rija	él
rijamos	nosotros
regid	vosotros
rijan	ellos

Condicional (Bello : Pospretérito)	Condicional perf. (Bello : Antepospretérito)	
regiría	habría	regido
regirías	habrías	regido
regiría	habría	regido
regiríamos	habríamos	regido
regiríais	habríais	regido
regirían	habrían	regido

―――― **FORMAS NO PERSONALES** ――――

Infinitivo regir	Infinitivo compuesto haber regido
Gerundio rigiendo	Gerundio compuesto habiendo regido
Participio regido	

68 seguir

Presente (Bello : Presente)	Pret. perf. comp. (Bello : Antepresente)	
sigo	he	seguido
sigues	has	seguido
sigue	ha	seguido
seguimos	hemos	seguido
seguís	habéis	seguido
siguen	han	seguido

Pret. imperf. (Bello : Copretérito)	Pret. pluscuamp. (Bello : Antecopretérito)	
seguía	había	seguido
seguías	habías	seguido
seguía	había	seguido
seguíamos	habíamos	seguido
seguíais	habíais	seguido
seguían	habían	seguido

Pret. perf. simple (Bello : Pretérito)	Pret. anterior (Bello : Antepretérito)	
seguí	hube	seguido
seguiste	hubiste	seguido
siguió	hubo	seguido
seguimos	hubimos	seguido
seguisteis	hubisteis	seguido
siguieron	hubieron	seguido

Futuro (Bello : Futuro)	Futuro perf. (Bello : Antefuturo)	
seguiré	habré	seguido
seguirás	habrás	seguido
seguirá	habrá	seguido
seguiremos	habremos	seguido
seguiréis	habréis	seguido
seguirán	habrán	seguido

Condicional (Bello : Pospretérito)	Condicional perf. (Bello : Antepospretérito)	
seguiría	habría	seguido
seguirías	habrías	seguido
seguiría	habría	seguido
seguiríamos	habríamos	seguido
seguiríais	habríais	seguido
seguirían	habrían	seguido

Presente (Bello : Presente)	Pret. perf. (Bello : Antepresente)	
siga	haya	seguido
sigas	hayas	seguido
siga	haya	seguido
sigamos	hayamos	seguido
sigáis	hayáis	seguido
sigan	hayan	seguido

Pret. imperf. (Bello : Pretérito)	Pret. pluscuamp. (Bello : Antepretérito)	
siguiera	hubiera	
o siguiese	o hubiese	seguido
siguieras	hubieras	
o siguieses	o hubieses	seguido
siguiera	hubiera	
o siguiese	o hubiese	seguido
siguiéramos	hubiéramos	
o siguiésemos	o hubiésemos	seguido
siguierais	hubierais	
o siguieseis	o hubieseis	seguido
siguieran	hubieran	
o siguiesen	o hubiesen	seguido

Futuro (Bello : Futuro)	Futuro perf. (Bello : Antefuturo)	
siguiere	hubiere	seguido
siguieres	hubieres	seguido
siguiere	hubiere	seguido
siguiéremos	hubiéremos	seguido
siguiereis	hubiereis	seguido
siguieren	hubieren	seguido

Presente

sigue	tú
siga	él
sigamos	nosotros
seguid	vosotros
sigan	ellos

Infinitivo	Infinitivo compuesto
seguir	haber seguido

Gerundio	Gerundio compuesto
siguiendo	habiendo seguido

Participio
seguido

69 embaír

Presente (Bello : Presente)		Pret. perf. comp. (Bello : Antepresente)	
(no existe)		he	embaído
(no existe)		has	embaído
(no existe)		ha	embaído
embaímos		hemos	embaído
embaís		habéis	embaído
(no existe)		han	embaído

Presente (Bello : Presente)		Pret. perf. (Bello : Antepresente)	
(no existe)		haya	embaído
—		hayas	embaído
—		haya	embaído
—		hayamos	embaído
—		hayáis	embaído
—		hayan	embaído

Pret. imperf. (Bello : Copretérito)		Pret. pluscuamp. (Bello : Antecopretérito)	
embaía		había	embaído
embaías		habías	embaído
embaía		había	embaído
embaíamos		habíamos	embaído
embaíais		habíais	embaído
embaían		habían	embaído

Pret. imperf. (Bello : Pretérito)		Pret. pluscuamp. (Bello : Antepretérito)	
embayera		hubiera	
o embayese		o hubiese	embaído
embayeras		hubieras	
o embayeses		o hubieses	embaído
embayera		hubiera	
o embayese		o hubiese	embaído
embayéramos		hubiéramos	
o embayésemos		o hubiésemos	embaído
embayerais		hubierais	
o embayeseis		o hubieseis	embaído
embayeran		hubieran	
o embayesen		o hubiesen	embaído

Pret. perf. simple (Bello : Pretérito)		Pret. anterior (Bello : Antepretérito)	
embaí		hube	embaído
embaíste		hubiste	embaído
embayó		hubo	embaído
embaímos		hubimos	embaído
embaísteis		hubisteis	embaído
embayeron		hubieron	embaído

Futuro (Bello : Futuro)		Futuro perf. (Bello : Antefuturo)	
embayere		hubiere	embaído
embayeres		hubieres	embaído
embayere		hubiere	embaído
embayéremos		hubiéremos	embaído
embayereis		hubiereis	embaído
embayeren		hubieren	embaído

Futuro (Bello : Futuro)		Futuro perf. (Bello : Antefuturo)	
embairé		habré	embaído
embairás		habrás	embaído
embairá		habrá	embaído
embairemos		habremos	embaído
embairéis		habréis	embaído
embairán		habrán	embaído

Presente

embaíd   vosotros

(las demás personas no existen)

Condicional (Bello : Pospretérito)		Condicional perf. (Bello : Antepospretérito)	
embairía		habría	embaído
embairías		habrías	embaído
embairía		habría	embaído
embairíamos		habríamos	embaído
embairíais		habríais	embaído
embairían		habrían	embaído

Infinitivo	Infinitivo compuesto
embaír	haber embaído
Gerundio	Gerundio compuesto
embayendo	habiendo embaído
Participio	
embaído	

70 abolir

Presente (Bello : Presente)	Pret. perf. comp. (Bello : Antepresente)	
(no existe)	he	abolido
(no existe)	has	abolido
(no existe)	ha	abolido
abolimos	hemos	abolido
abolís	habéis	abolido
(no existe)	han	abolido

Pret. imperf. (Bello : Copretérito)	Pret. pluscuamp. (Bello : Antecopretérito)	
abolía	había	abolido
abolías	habías	abolido
abolía	había	abolido
abolíamos	habíamos	abolido
abolíais	habíais	abolido
abolían	habían	abolido

Pret. perf. simple (Bello : Pretérito)	Pret. anterior (Bello : Antepretérito)	
abolí	hube	abolido
aboliste	hubiste	abolido
abolió	hubo	abolido
abolimos	hubimos	abolido
abolisteis	hubisteis	abolido
abolieron	hubieron	abolido

Futuro (Bello : Futuro)	Futuro perf. (Bello : Antefuturo)	
aboliré	habré	abolido
abolirás	habrás	abolido
abolirá	habrá	abolido
aboliremos	habremos	abolido
aboliréis	habréis	abolido
abolirán	habrán	abolido

Condicional (Bello : Pospretérito)	Condicional perf. (Bello : Antepospretérito)	
aboliría	habría	abolido
abolirías	habrías	abolido
aboliría	habría	abolido
aboliríamos	habríamos	abolido
aboliríais	habríais	abolido
abolirían	habrían	abolido

Presente (Bello : Presente)	Pret. perf. (Bello : Antepresente)	
(no existe)	haya	abolido
—	hayas	abolido
—	haya	abolido
—	hayamos	abolido
—	hayáis	abolido
—	hayan	abolido

Pret. imperf. (Bello : Pretérito)	Pret. pluscuamp. (Bello : Antepretérito)	
aboliera	hubiera	
o aboliese	o hubiese	abolido
abolieras	hubieras	
o abolieses	o hubieses	abolido
aboliera	hubiera	
o aboliese	o hubiese	abolido
aboliéramos	hubiéramos	
o aboliésemos	o hubiésemos	abolido
abolierais	hubierais	
o abolieseis	o hubieseis	abolido
abolieran	hubieran	
o aboliesen	o hubiesen	abolido

Futuro (Bello : Futuro)	Futuro perf. (Bello : Antefuturo)	
aboliere	hubiere	abolido
abolieres	hubieres	abolido
aboliere	hubiere	abolido
aboliéremos	hubiéremos	abolido
aboliereis	hubiereis	abolido
abolieren	hubieren	abolido

Presente

abolid   vosotros

(las demás personas no existen)

Infinitivo	Infinitivo compuesto
abolir	haber abolido
Gerundio	Gerundio compuesto
aboliendo	habiendo abolido
Participio	
abolido	

71 sacar

Presente (Bello : Presente)	Pret. perf. comp. (Bello : Antepresente)	
saco	he	sacado
sacas	has	sacado
saca	ha	sacado
sacamos	hemos	sacado
sacáis	habéis	sacado
sacan	han	sacado

Pret. imperf. (Bello : Copretérito)	Pret. pluscuamp. (Bello : Antecopretérito)	
sacaba	había	sacado
sacabas	habías	sacado
sacaba	había	sacado
sacábamos	habíamos	sacado
sacabais	habíais	sacado
sacaban	habían	sacado

Pret. perf. simple (Bello : Pretérito)	Pret. anterior (Bello : Antepretérito)	
saqué	hube	sacado
sacaste	hubiste	sacado
sacó	hubo	sacado
sacamos	hubimos	sacado
sacasteis	hubisteis	sacado
sacaron	hubieron	sacado

Futuro (Bello : Futuro)	Futuro perf. (Bello : Antefuturo)	
sacaré	habré	sacado
sacarás	habrás	sacado
sacará	habrá	sacado
sacaremos	habremos	sacado
sacaréis	habréis	sacado
sacarán	habrán	sacado

Condicional (Bello : Pospretérito)	Condicional perf. (Bello : Antepospretérito)	
sacaría	habría	sacado
sacarías	habrías	sacado
sacaría	habría	sacado
sacaríamos	habríamos	sacado
sacaríais	habríais	sacado
sacarían	habrían	sacado

SUBJUNTIVO

Presente (Bello : Presente)	Pret. perf. (Bello : Antepresente)	
saque	haya	sacado
saques	hayas	sacado
saque	haya	sacado
saquemos	hayamos	sacado
saquéis	hayáis	sacado
saquen	hayan	sacado

Pret. imperf. (Bello : Pretérito)	Pret. pluscuamp. (Bello : Antepretérito)	
sacara	hubiera	
o sacase	o hubiese	sacado
sacaras	hubieras	
o sacases	o hubieses	sacado
sacara	hubiera	
o sacase	o hubiese	sacado
sacáramos	hubiéramos	
o sacásemos	o hubiésemos	sacado
sacarais	hubierais	
o sacaseis	o hubieseis	sacado
sacaran	hubieran	
o sacasen	o hubiesen	sacado

Futuro (Bello : Futuro)	Futuro perf. (Bello : Antefuturo)	
sacare	hubiere	sacado
sacares	hubieres	sacado
sacare	hubiere	sacado
sacáremos	hubiéremos	sacado
sacareis	hubiereis	sacado
sacaren	hubieren	sacado

IMPERATIVO

Presente

saca	tú
saque	él
saquemos	nosotros
sacad	vosotros
saquen	ellos

FORMAS NO PERSONALES

Infinitivo	Infinitivo compuesto
sacar	haber sacado
Gerundio	**Gerundio compuesto**
sacando	habiendo sacado
Participio	
sacado	

72 pagar

─── INDICATIVO ───────────

Presente (Bello : Presente)	Pret. perf. comp. (Bello : Antepresente)	
pago	he	pagado
pagas	has	pagado
paga	ha	pagado
pagamos	hemos	pagado
pagáis	habéis	pagado
pagan	han	pagado

Pret. imperf. (Bello : Copretérito)	Pret. pluscuamp. (Bello : Antecopretérito)	
pagaba	había	pagado
pagabas	habías	pagado
pagaba	había	pagado
pagábamos	habíamos	pagado
pagabais	habíais	pagado
pagaban	habían	pagado

Pret. perf. simple (Bello : Pretérito)	Pret. anterior (Bello : Antepretérito)	
pagué	hube	pagado
pagaste	hubiste	pagado
pagó	hubo	pagado
pagamos	hubimos	pagado
pagasteis	hubisteis	pagado
pagaron	hubieron	pagado

Futuro (Bello : Futuro)	Futuro perf. (Bello : Antefuturo)	
pagaré	habré	pagado
pagarás	habrás	pagado
pagará	habrá	pagado
pagaremos	habremos	pagado
pagaréis	habréis	pagado
pagarán	habrán	pagado

Condicional (Bello : Pospretérito)	Condicional perf. (Bello : Antepospretérito)	
pagaría	habría	pagado
pagarías	habrías	pagado
pagaría	habría	pagado
pagaríamos	habríamos	pagado
pagaríais	habríais	pagado
pagarían	habrían	pagado

─── SUBJUNTIVO ───────────

Presente (Bello : Presente)	Pret. perf. (Bello : Antepresente)	
pague	haya	pagado
pagues	hayas	pagado
pague	haya	pagado
paguemos	hayamos	pagado
paguéis	hayáis	pagado
paguen	hayan	pagado

Pret. imperf. (Bello : Pretérito)	Pret. pluscuamp. (Bello : Antepretérito)	
pagara	hubiera	
o pagase	o hubiese	pagado
pagaras	hubieras	
o pagases	o hubieses	pagado
pagara	hubiera	
o pagase	o hubiese	pagado
pagáramos	hubiéramos	
o pagásemos	o hubiésemos	pagado
pagarais	hubierais	
o pagaseis	o hubieseis	pagado
pagaran	hubieran	
o pagasen	o hubiesen	pagado

Futuro (Bello : Futuro)	Futuro perf. (Bello : Antefuturo)	
pagare	hubiere	pagado
pagares	hubieres	pagado
pagare	hubiere	pagado
pagáremos	hubiéremos	pagado
pagareis	hubiereis	pagado
pagaren	hubieren	pagado

─── IMPERATIVO ───────────

Presente

paga	tú
pague	él
paguemos	nosotros
pagad	vosotros
paguen	ellos

─── FORMAS NO PERSONALES ───

Infinitivo	Infinitivo compuesto
pagar	haber pagado
Gerundio	**Gerundio compuesto**
pagando	habiendo pagado
Participio	
pagado	

73 cazar

Presente
(Bello : Presente)

cazo
cazas
caza
cazamos
cazáis
cazan

Pret. perf. comp.
(Bello : Antepresente)

he cazado
has cazado
ha cazado
hemos cazado
habéis cazado
han cazado

Presente
(Bello : Presente)

cace
caces
cace
cacemos
cacéis
cacen

Pret. perf.
(Bello : Antepresente)

haya cazado
hayas cazado
haya cazado
hayamos cazado
hayáis cazado
hayan cazado

Pret. imperf.
(Bello : Copretérito)

cazaba
cazabas
cazaba
cazábamos
cazabais
cazaban

Pret. pluscuamp.
(Bello : Antecopretérito)

había cazado
habías cazado
había cazado
habíamos cazado
habíais cazado
habían cazado

Pret. imperf.
(Bello : Pretérito)

cazara
o cazase
cazaras
o cazases
cazara
o cazase
cazáramos
o cazásemos
cazarais
o cazaseis
cazaran
o cazasen

Pret. pluscuamp.
(Bello : Antepretérito)

hubiera
o hubiese cazado
hubieras
o hubieses cazado
hubiera
o hubiese cazado
hubiéramos
o hubiésemos cazado
hubierais
o hubieseis cazado
hubieran
o hubiesen cazado

Pret. perf. simple
(Bello : Pretérito)

cacé
cazaste
cazó
cazamos
cazasteis
cazaron

Pret. anterior
(Bello : Antepretérito)

hube cazado
hubiste cazado
hubo cazado
hubimos cazado
hubisteis cazado
hubieron cazado

Futuro
(Bello : Futuro)

cazare
cazares
cazare
cazáremos
cazareis
cazaren

Futuro perf.
(Bello : Antefuturo)

hubiere cazado
hubieres cazado
hubiere cazado
hubiéremos cazado
hubiereis cazado
hubieren cazado

Futuro
(Bello : Futuro)

cazaré
cazarás
cazará
cazaremos
cazaréis
cazarán

Futuro perf.
(Bello : Antefuturo)

habré cazado
habrás cazado
habrá cazado
habremos cazado
habréis cazado
habrán cazado

Presente

caza tú
cace él
cacemos nosotros
cazad vosotros
cacen ellos

Condicional
(Bello : Pospretérito)

azaría
cazarías
cazaría
cazaríamos
cazaríais
cazarían

Condicional perf.
(Bello : Antepospretérito)

habría cazado
habrías cazado
habría cazado
habríamos cazado
habríais cazado
habrían cazado

Infinitivo
cazar

Infinitivo compuesto
haber cazado

Gerundio
cazando

Gerundio compuesto
habiendo cazado

Participio
cazado

74 forzar

INDICATIVO

Presente (Bello : Presente)	Pret. perf. comp. (Bello : Antepresente)	
fuerzo	he	forzado
fuerzas	has	forzado
fuerza	ha	forzado
forzamos	hemos	forzado
forzáis	habéis	forzado
fuerzan	han	forzado

Pret. imperf. (Bello : Copretérito)	Pret. pluscuamp. (Bello : Antecopretérito)	
forzaba	había	forzado
forzabas	habías	forzado
forzaba	había	forzado
forzábamos	habíamos	forzado
forzabais	habíais	forzado
forzaban	habían	forzado

Pret. perf. simple (Bello : Pretérito)	Pret. anterior (Bello : Antepretérito)	
forcé	hube	forzado
forzaste	hubiste	forzado
forzó	hubo	forzado
forzamos	hubimos	forzado
forzasteis	hubisteis	forzado
forzaron	hubieron	forzado

Futuro (Bello : Futuro)	Futuro perf. (Bello : Antefuturo)	
forzaré	habré	forzado
forzarás	habrás	forzado
forzará	habrá	forzado
forzaremos	habremos	forzado
forzaréis	habréis	forzado
forzarán	habrán	forzado

Condicional (Bello : Pospretérito)	Condicional perf. (Bello : Antepospretérito)	
forzaría	habría	forzado
forzarías	habrías	forzado
forzaría	habría	forzado
forzaríamos	habríamos	forzado
forzaríais	habríais	forzado
forzarían	habrían	forzado

SUBJUNTIVO

Presente (Bello : Presente)	Pret. perf. (Bello : Antepresente)	
fuerce	haya	forzado
fuerces	hayas	forzado
fuerce	haya	forzado
forcemos	hayamos	forzado
forcéis	hayáis	forzado
fuercen	hayan	forzado

Pret. imperf. (Bello : Pretérito)	Pret. pluscuamp. (Bello : Antepretérito)	
forzara	hubiera	
o forzase	o hubiese	forzado
forzaras	hubieras	
o forzases	o hubieses	forzado
forzara	hubiera	
o forzase	o hubiese	forzado
forzáramos	hubiéramos	
o forzásemos	o hubiésemos	forzado
forzarais	hubierais	
o forzaseis	o hubieseis	forzado
forzaran	hubieran	
o forzasen	o hubiesen	forzado

Futuro (Bello : Futuro)	Futuro perf. (Bello : Antefuturo)	
forzare	hubiere	forzado
forzares	hubieres	forzado
forzare	hubiere	forzado
forzáremos	hubiéremos	forzado
forzareis	hubiereis	forzado
forzaren	hubieren	forzado

IMPERATIVO

Presente

fuerza	tú
fuerce	él
forcemos	nosotros
forzad	vosotros
fuercen	ellos

FORMAS NO PERSONALES

Infinitivo	Infinitivo compuesto
forzar	haber forzado
Gerundio	Gerundio compuesto
forzando	habiendo forzado
Participio	
forzado	

75 guiar

Presente
(Bello : Presente)

guío	
guías	
guía	
guiamos	
guiáis	
guían	

Pret. perf. comp.
(Bello : Antepresente)

he	guiado
has	guiado
ha	guiado
hemos	guiado
habéis	guiado
han	guiado

Pret. imperf.
(Bello : Copretérito)

guiaba
guiabas
guiaba
guiábamos
guiabais
guiaban

Pret. pluscuamp.
(Bello : Antecopretérito)

había	guiado
habías	guiado
había	guiado
habíamos	guiado
habíais	guiado
habían	guiado

Pret. perf. simple
(Bello : Pretérito)

guié
guiaste
guió
guiamos
guiasteis
guiaron

Pret. anterior
(Bello : Antepretérito)

hube	guiado
hubiste	guiado
hubo	guiado
hubimos	guiado
hubisteis	guiado
hubieron	guiado

Futuro
(Bello : Futuro)

guiaré
guiarás
guiará
guiaremos
guiaréis
guiarán

Futuro perf.
(Bello : Antefuturo)

habré	guiado
habrás	guiado
habrá	guiado
habremos	guiado
habréis	guiado
habrán	guiado

Condicional
(Bello : Pospretérito)

guiaría
guiarías
guiaría
guiaríamos
guiaríais
guiarían

Condicional perf.
(Bello : Antepospretérito)

habría	guiado
habrías	guiado
habría	guiado
habríamos	guiado
habríais	guiado
habrían	guiado

Presente
(Bello : Presente)

guíe
guíes
guíe
guiemos
guiéis
guíen

Pret. perf.
(Bello : Antepresente)

haya	guiado
hayas	guiado
haya	guiado
hayamos	guiado
hayáis	guiado
hayan	guiado

Pret. imperf.
(Bello : Pretérito)

guiara
o guiase
guiaras
o guiases
guiara
o guiase
guiáramos
o guiásemos
guiarais
o guiaseis
guiaran
o guiasen

Pret. pluscuamp.
(Bello : Antepretérito)

hubiera	
o hubiese	guiado
hubieras	
o hubieses	guiado
hubiera	
o hubiese	guiado
hubiéramos	
o hubiésemos	guiado
hubierais	
o hubieseis	guiado
hubieran	
o hubiesen	guiado

Futuro
(Bello : Futuro)

guiare
guiares
guiare
guiáremos
guiareis
guiaren

Futuro perf.
(Bello : Antefuturo)

hubiere	guiado
hubieres	guiado
hubiere	guiado
hubiéremos	guiado
hubiereis	guiado
hubieren	guiado

Presente

guía	tú
guíe	él
guiemos	nosotros
guiad	vosotros
guíen	ellos

Infinitivo	**Infinitivo compuesto**
guiar	haber guiado
Gerundio	**Gerundio compuesto**
guiando	habiendo guiado
Participio	
guiado	

98

76 actuar

INDICATIVO

Presente
(Bello : Presente)

actúo
actúas
actúa
actuamos
actuáis
actúan

Pret. perf. comp.
(Bello : Antepresente)

he	actuado
has	actuado
ha	actuado
hemos	actuado
habéis	actuado
han	actuado

Pret. imperf.
(Bello : Copretérito)

actuaba
actuabas
actuaba
actuábamos
actuabais
actuaban

Pret. pluscuamp.
(Bello : Antecopretérito)

había	actuado
habías	actuado
había	actuado
habíamos	actuado
habíais	actuado
habían	actuado

Pret. perf. simple
(Bello : Pretérito)

actué
actuaste
actuó
actuamos
actuasteis
actuaron

Pret. anterior
(Bello : Antepretérito)

hube	actuado
hubiste	actuado
hubo	actuado
hubimos	actuado
hubisteis	actuado
hubieron	actuado

Futuro
(Bello : Futuro)

actuaré
actuarás
actuará
actuaremos
actuaréis
actuarán

Futuro perf.
(Bello : Antefuturo)

habré	actuado
habrás	actuado
habrá	actuado
habremos	actuado
habréis	actuado
habrán	actuado

Condicional
(Bello : Pospretérito)

actuaría
actuarías
actuaría
actuaríamos
actuaríais
actuarían

Condicional perf.
(Bello : Antepospretérito)

habría	actuado
habrías	actuado
habría	actuado
habríamos	actuado
habríais	actuado
habrían	actuado

SUBJUNTIVO

Presente
(Bello : Presente)

actúe
actúes
actúe
actuemos
actuéis
actúen

Pret. perf.
(Bello : Antepresente)

haya	actuado
hayas	actuado
haya	actuado
hayamos	actuado
hayáis	actuado
hayan	actuado

Pret. imperf.
(Bello : Pretérito)

actuara
o actuase
actuaras
o actuases
actuara
o actuase
actuáramos
o actuásemos
actuarais
o actuaseis
actuaran
o actuasen

Pret. pluscuamp.
(Bello : Antepretérito)

hubiera	
o hubiese	actuado
hubieras	
o hubieses	actuado
hubiera	
o hubiese	actuado
hubiéramos	
o hubiésemos	actuado
hubierais	
o hubieseis	actuado
hubieran	
o hubiesen	actuado

Futuro
(Bello : Futuro)

actuare
actuares
actuare
actuáremos
actuareis
actuaren

Futuro perf.
(Bello : Antefuturo)

hubiere	actuado
hubieres	actuado
hubiere	actuado
hubiéremos	actuado
hubiereis	actuado
hubieren	actuado

IMPERATIVO

Presente

actúa	tú
actúe	él
actuemos	nosotros
actuad	vosotros
actúen	ellos

FORMAS NO PERSONALES

Infinitivo
actuar

Infinitivo compuesto
haber actuado

Gerundio
actuando

Gerundio compuesto
habiendo actuado

Participio
actuado

99

77 averiguar

____ INDICATIVO ____

Presente (Bello : Presente)	Pret. perf. comp. (Bello : Antepresente)	
averiguo	he	averiguado
averiguas	has	averiguado
averigua	ha	averiguado
averiguamos	hemos	averiguado
averiguáis	habéis	averiguado
averiguan	han	averiguado

Pret. imperf. (Bello : Copretérito)	Pret. pluscuamp. (Bello : Antecopretérito)	
averiguaba	había	averiguado
averiguabas	habías	averiguado
averiguaba	había	averiguado
averiguábamos	habíamos	averiguado
averiguabais	habíais	averiguado
averiguaban	habían	averiguado

Pret. perf. simple (Bello : Pretérito)	Pret. anterior (Bello : Antepretérito)	
averigüé	hube	averiguado
averiguaste	hubiste	averiguado
averiguó	hubo	averiguado
averiguamos	hubimos	averiguado
averiguasteis	hubisteis	averiguado
averiguaron	hubieron	averiguado

Futuro (Bello : Futuro)	Futuro perf. (Bello : Antefuturo)	
averiguaré	habré	averiguado
averiguarás	habrás	averiguado
averiguará	habrá	averiguado
averiguaremos	habremos	averiguado
averiguaréis	habréis	averiguado
averiguarán	habrán	averiguado

Condicional (Bello : Pospretérito)	Condicional perf. (Bello : Antepospretérito)	
averiguaría	habría	averiguado
averiguarías	habrías	averiguado
averiguaría	habría	averiguado
averiguaríamos	habríamos	averiguado
averiguaríais	habríais	averiguado
averiguarían	habrían	averiguado

____ SUBJUNTIVO ____

Presente (Bello : Presente)	Pret. perf. (Bello : Antepresente)	
averigüe	haya	averiguado
averigües	hayas	averiguado
averigüe	haya	averiguado
averigüemos	hayamos	averiguado
averigüéis	hayáis	averiguado
averigüen	hayan	averiguado

Pret. imperf. (Bello : Pretérito)	Pret. pluscuamp. (Bello : Antepretérito)	
averiguara	hubiera	
o averiguase	o hubiese	averiguado
averiguaras	hubieras	
o averiguases	o hubieses	averiguado
averiguara	hubiera	
o averiguase	o hubiese	averiguado
averiguáramos	hubiéramos	
o averiguásemos	o hubiésemos	averiguado
averiguarais	hubierais	
o averiguaseis	o hubieseis	averiguado
averiguaran	hubieran	
o averiguasen	o hubiesen	averiguado

Futuro (Bello : Futuro)	Futuro perf. (Bello : Antefuturo)	
averiguare	hubiere	averiguado
averiguares	hubieres	averiguado
averiguare	hubiere	averiguado
averiguáremos	hubiéremos	averiguado
averiguareis	hubiereis	averiguado
averiguaren	hubieren	averiguado

____ IMPERATIVO ____

Presente

averigua	tú
averigüe	él
averigüemos	nosotros
averiguad	vosotros
averigüen	ellos

____ FORMAS NO PERSONALES ____

Infinitivo	Infinitivo compuesto
averiguar	haber averiguado
Gerundio	Gerundio compuesto
averiguando	habiendo averiguado
Participio	
averiguado	

78 airar

INDICATIVO

Presente
(Bello : Presente)

airo
airas
aira
airamos
airáis
airan

Pret. perf. comp.
(Bello : Antepresente)

he airado
has airado
ha airado
hemos airado
habéis airado
han airado

Pret. imperf.
(Bello : Copretérito)

airaba
airabas
airaba
airábamos
airabais
airaban

Pret. pluscuamp.
(Bello : Antecopretérito)

había airado
habías airado
había airado
habíamos airado
habíais airado
habían airado

Pret. perf. simple
(Bello : Pretérito)

airé
airaste
airó
airamos
airasteis
airaron

Pret. anterior
(Bello : Antepretérito)

hube airado
hubiste airado
hubo airado
hubimos airado
hubisteis airado
hubieron airado

Futuro
(Bello : Futuro)

airaré
airarás
airará
airaremos
airaréis
airarán

Futuro perf.
(Bello : Antefuturo)

habré airado
habrás airado
habrá airado
habremos airado
habréis airado
habrán airado

Condicional
(Bello : Pospretérito)

airaría
airarías
airaría
airaríamos
airaríais
airarían

Condicional perf.
(Bello : Antepospretérito)

habría airado
habrías airado
habría airado
habríamos airado
habríais airado
habrían airado

SUBJUNTIVO

Presente
(Bello : Presente)

aire
aires
aire
airemos
airéis
airen

Pret. perf.
(Bello : Antepresente)

haya airado
hayas airado
haya airado
hayamos airado
hayáis airado
hayan airado

Pret. imperf.
(Bello : Pretérito)

airara
o airase
airaras
o airases
airara
o airase
airáramos
o airásemos
airarais
o airaseis
airaran
o airasen

Pret. pluscuamp.
(Bello : Antepretérito)

hubiera
o hubiese airado
hubieras
o hubieses airado
hubiera
o hubiese airado
hubiéramos
o hubiésemos airado
hubierais
o hubieseis airado
hubieran
o hubiesen airado

Futuro
(Bello : Futuro)

airare
airares
airare
airáremos
airareis
airaren

Futuro perf.
(Bello : Antefuturo)

hubiere airado
hubieres airado
hubiere airado
hubiéremos airado
hubiereis airado
hubieren airado

IMPERATIVO

Presente

aira tú
aire él
airemos nosotros
airad vosotros
airen ellos

FORMAS NO PERSONALES

Infinitivo
airar

Infinitivo compuesto
haber airado

Gerundio
airando

Gerundio compuesto
habiendo airado

Participio
airado

101

79 ahincar

Presente
(Bello : Presente)

ahínco
ahíncas
ahínca
ahincamos
ahincáis
ahíncan

Pret. perf. comp.
(Bello : Antepresente)

he ahincado
has ahincado
ha ahincado
hemos ahincado
habéis ahincado
han ahincado

Pret. imperf.
(Bello : Copretérito)

ahincaba
ahincabas
ahincaba
ahincábamos
ahincabais
ahincaban

Pret. pluscuamp.
(Bello : Antecopretérito)

había ahincado
habías ahincado
había ahincado
habíamos ahincado
habíais ahincado
habían ahincado

Pret. perf. simple
(Bello : Pretérito)

ahinqué
ahincaste
ahincó
ahincamos
ahincasteis
ahincaron

Pret. anterior
(Bello : Antepretérito)

hube ahincado
hubiste ahincado
hubo ahincado
hubimos ahincado
hubisteis ahincado
hubieron ahincado

Futuro
(Bello : Futuro)

ahincaré
ahincarás
ahincará
ahincaremos
ahincaréis
ahincarán

Futuro perf.
(Bello : Antefuturo)

habré ahincado
habrás ahincado
habrá ahincado
habremos ahincado
habréis ahincado
habrán ahincado

Condicional
(Bello : Pospretérito)

ahincaría
ahincarías
ahincaría
ahincaríamos
ahincaríais
ahincarían

Condicional perf.
(Bello : Antepospretérito)

habría ahincado
habrías ahincado
habría ahincado
habríamos ahincado
habríais ahincado
habrían ahincado

Presente
(Bello : Presente)

ahínque
ahínques
ahínque
ahinquemos
ahinquéis
ahínquen

Pret. perf.
(Bello : Antepresente)

haya ahincado
hayas ahincado
haya ahincado
hayamos ahincado
hayáis ahincado
hayan ahincado

Pret. imperf.
(Bello : Pretérito)

ahincara
o ahincase
ahincaras
o ahincases
ahincara
o ahincase
ahincáramos
o ahincásemos
ahincarais
o ahincaseis
ahincaran
o ahincasen

Pret. pluscuamp.
(Bello : Antepretérito)

hubiera
o hubiese ahincado
hubieras
o hubieses ahincado
hubiera
o hubiese ahincado
hubiéramos
o hubiésemos ahincado
hubierais
o hubieseis ahincado
hubieran
o hubiesen ahincado

Futuro
(Bello : Futuro)

ahincare
ahincares
ahincare
ahincáremos
ahincareis
ahincaren

Futuro perf.
(Bello : Antefuturo)

hubiere ahincado
hubieres ahincado
hubiere ahincado
hubiéremos ahincado
hubiereis ahincado
hubieren ahincado

Presente

ahínca tú
ahínque él
ahinquemos nosotros
ahincad vosotros
ahínquen ellos

Infinitivo
ahincar

Infinitivo compuesto
haber ahincado

Gerundio
ahincando

Gerundio compuesto
habiendo ahincado

Participio
ahincado

80 cabrahigar

___ INDICATIVO ___

Presente
(Bello : Presente)

cabrahígo
cabrahígas
cabrahíga
cabrahigamos
cabrahigáis
cabrahígan

Pret. perf. comp.
(Bello : Antepresente)

he cabrahigado
has cabrahigado
ha cabrahigado
hemos cabrahigado
habéis cabrahigado
han cabrahigado

Pret. imperf.
(Bello : Copretérito)

cabrahigaba
cabrahigabas
cabrahigaba
cabrahigábamos
cabrahigabais
cabrahigaban

Pret. pluscuamp.
(Bello : Antecopretérito)

había cabrahigado
habías cabrahigado
había cabrahigado
habíamos cabrahigado
habíais cabrahigado
habían cabrahigado

Pret. perf. simple
(Bello : Pretérito)

cabrahigué
cabrahigaste
cabrahigó
cabrahigamos
cabrahigasteis
cabrahigaron

Pret. anterior
(Bello : Antepretérito)

hube cabrahigado
hubiste cabrahigado
hubo cabrahigado
hubimos cabrahigado
hubisteis cabrahigado
hubieron cabrahigado

Futuro
(Bello : Futuro)

cabrahigaré
cabrahigarás
cabrahigará
cabrahigaremos
cabrahigaréis
cabrahigarán

Futuro perf.
(Bello : Antefuturo)

habré cabrahigado
habrás cabrahigado
habrá cabrahigado
habremos cabrahigado
habréis cabrahigado
habrán cabrahigado

Condicional
(Bello : Pospretérito)

cabrahigaría
cabrahigarías
cabrahigaría
cabrahigaríamos
cabrahigaríais
cabrahigarían

Condicional perf.
(Bello : Antepospretérito)

habría cabrahigado
habrías cabrahigado
habría cabrahigado
habríamos cabrahigado
habríais cabrahigado
habrían cabrahigado

___ SUBJUNTIVO ___

Presente
(Bello : Presente)

cabrahígue
cabrahígues
cabrahígue
cabrahiguemos
cabrahiguéis
cabrahíguen

Pret. perf.
(Bello : Antepresente)

haya cabrahigado
hayas cabrahigado
haya cabrahigado
hayamos cabrahigado
hayáis cabrahigado
hayan cabrahigado

Pret. imperf.
(Bello : Pretérito)

cabrahigara
o cabrahigase
cabrahigaras
o cabrahigases
cabrahigara
o cabrahigase
cabrahigáramos
o cabrahigásemos
cabrahigarais
o cabrahigaseis
cabrahigaran
o cabrahigasen

Pret. pluscuamp.
(Bello : Antepretérito)

hubiera
o hubiese cabrahigado
hubieras
o hubieses cabrahigado
hubiera
o hubiese cabrahigado
hubiéramos
o hubiésemos cabrahigado
hubierais
o hubieseis cabrahigado
hubieran
o hubiesen cabrahigado

Futuro
(Bello : Futuro)

cabrahigare
cabrahigares
cabrahigare
cabrahigáremos
cabrahigareis
cabrahigaren

Futuro perf.
(Bello : Antefuturo)

hubiere cabrahigado
hubieres cabrahigado
hubiere cabrahigado
hubiéremos cabrahigado
hubiereis cabrahigado
hubieren cabrahigado

___ IMPERATIVO ___

Presente

cabrahíga tú
cabrahígue él
cabrahiguemos nosotros
cabrahigad vosotros
cabrahíguen ellos

___ FORMAS NO PERSONALES ___

Infinitivo
cabrahigar

Infinitivo compuesto
haber cabrahigado

Gerundio
cabrahigando

Gerundio compuesto
habiendo cabrahigado

Participio
cabrahigado

81 enraizar

____ INDICATIVO ____

Presente
(Bello : Presente)

enraizo
enraizas
enraiza
enraizamos
enraizáis
enraizan

Pret. perf. comp.
(Bello : Antepresente)

he   enraizado
has   enraizado
ha   enraizado
hemos   enraizado
habéis   enraizado
han   enraizado

Pret. imperf.
(Bello : Copretérito)

enraizaba
enraizabas
enraizaba
enraizábamos
enraizabais
enraizaban

Pret. pluscuamp.
(Bello : Antecopretérito)

había   enraizado
habías   enraizado
había   enraizado
habíamos   enraizado
habíais   enraizado
habían   enraizado

Pret. perf. simple
(Bello : Pretérito)

enraice
enraizaste
enraizó
enraizamos
enraizasteis
enraizaron

Pret. anterior
(Bello : Antepretérito)

hube   enraizado
hubiste   enraizado
hubo   enraizado
hubimos   enraizado
hubisteis enraizado
hubieron   enraizado

Futuro
(Bello : Futuro)

enraizaré
enraizarás
enraizará
enraizaremos
enraizaréis
enraizarán

Futuro perf.
(Bello : Antefuturo)

habré   enraizado
habrás   enraizado
habrá   enraizado
habremos   enraizado
habréis   enraizado
habrán   enraizado

Condicional
(Bello : Pospretérito)

enraizaría
enraizarías
enraizaría
enraizaríamos
enraizaríais
enraizarían

Condicional perf.
(Bello : Antepospretérito)

habría   enraizado
habrías   enraizado
habría   enraizado
habríamos enraizado
habríais   enraizado
habrían   enraizado

____ SUBJUNTIVO ____

Presente
(Bello : Presente)

enraíce
enraíces
enraíce
enraicemos
enraicéis
enraícen

Pret. perf. comp.
(Bello : Antepresente)

haya   enraizado
hayas   enraizado
haya   enraizado
hayamos   enraizado
hayáis   enraizado
hayan   enraizado

Pret. imperf.
(Bello : Pretérito)

enraizara
o enraizase
enraizaras
o enraizases
enraizara
o enraizase
enraizáramos
o enraizásemos
enraizarais
o enraizaseis
enraizaran
o enraizasen

Pret. pluscuamp.
(Bello : Antepretérito)

hubiera
o hubiese   enraizado
hubieras
o hubieses   enraizado
hubiera
o hubiese   enraizado
hubiéramos
o hubiésemos enraizado
hubierais
o hubieseis   enraizado
hubieran
o hubiesen   enraizado

Futuro
(Bello : Futuro)

enraizare
enraizares
enraizare
enraizáremos
enraizareis
enraizaren

Futuro perf.
(Bello : Antefuturo)

hubiere   enraizado
hubieres   enraizado
hubiere   enraizado
hubiéremos enraizado
hubiereis enraizado
hubieren   enraizado

____ IMPERATIVO ____

Presente

enraíza   tú
enraíce   él
enraicemos   nosotros
enraizad   vosotros
enraícen   ellos

____ FORMAS NO PERSONALES ____

Infinitivo
enraizar

Infinitivo compuesto
haber enraizado

Gerundio
enraizando

Gerundio compuesto
habiendo enraizado

Participio
enraizado

82 aullar

___ INDICATIVO ___

Presente
(Bello : Presente)

aúllo
aúllas
aúlla
aullamos
aulláis
aúllan

Pret. perf. comp.
(Bello : Antepresente)

he   aullado
has   aullado
ha   aullado
hemos   aullado
habéis   aullado
han   aullado

Pret. imperf.
(Bello : Copretérito)

aullaba
aullabas
aullaba
aullábamos
aullabais
aullaban

Pret. pluscuamp.
(Bello : Antecopretérito)

había   aullado
habías   aullado
había   aullado
habíamos   aullado
habíais   aullado
habían   aullado

Pret. perf. simple
(Bello : Pretérito)

aullé
aullaste
aulló
aullamos
aullasteis
aullaron

Pret. anterior
(Bello : Antepretérito)

hube   aullado
hubiste   aullado
hubo   aullado
hubimos   aullado
hubisteis aullado
hubieron   aullado

Futuro
(Bello : Futuro)

aullaré
aullarás
aullará
aullaremos
aullaréis
aullarán

Futuro perf.
(Bello : Antefuturo)

habré   aullado
habrás   aullado
habrá   aullado
habremos   aullado
habréis   aullado
habrán   aullado

Condicional
(Bello : Pospretérito)

aullaría
aullarías
aullaría
aullaríamos
aullaríais
aullarían

Condicional perf.
(Bello : Antepospretérito)

habría   aullado
habrías   aullado
habría   aullado
habríamos aullado
habríais   aullado
habrían   aullado

___ SUBJUNTIVO ___

Presente
(Bello : Presente)

aúlle
aúlles
aúlle
aullemos
aulléis
aúllen

Pret. perf.
(Bello : Antepresente)

haya   aullado
hayas   aullado
haya   aullado
hayamos   aullado
hayáis   aullado
hayan   aullado

Pret. imperf.
(Bello : Pretérito)

aullara
o aullase
aullaras
o aullases
aullara
o aullase
aulláramos
o aullásemos
aullarais
o aullaseis
aullaran
o aullasen

Pret. pluscuamp.
(Bello : Antepretérito)

hubiera
o hubiese   aullado
hubieras
o hubieses   aullado
hubiera
o hubiese   aullado
hubiéramos
o hubiésemos aullado
hubierais
o hubieseis aullado
hubieran
o hubiesen   aullado

Futuro
(Bello : Futuro)

aullare
aullares
aullare
aulláremos
aullareis
aullaren

Futuro perf.
(Bello : Antefuturo)

hubiere   aullado
hubieres   aullado
hubiere   aullado
hubiéremos aullado
hubiereis aullado
hubieren   aullado

___ IMPERATIVO ___

Presente

aúlla   tú
aúlle   él
aullemos   nosotros
aullad   vosotros
aúllen   ellos

___ FORMAS NO PERSONALES ___

Infinitivo
aullar

Infinitivo compuesto
haber aullado

Gerundio
aullando

Gerundio compuesto
habiendo aullado

Participio
aullado

83 mecer

___ INDICATIVO ___

Presente
(Bello : Presente)

mezo
meces
mece
mecemos
mecéis
mecen

Pret. perf. comp.
(Bello : Antepresente)

he mecido
has mecido
ha mecido
hemos mecido
habéis mecido
han mecido

Pret. imperf.
(Bello : Copretérito)

mecía
mecías
mecía
mecíamos
mecíais
mecían

Pret. pluscuamp.
(Bello : Antecopretérito)

había mecido
habías mecido
había mecido
habíamos mecido
habíais mecido
habían mecido

Pret. perf. simple
(Bello : Pretérito)

mecí
meciste
meció
mecimos
mecisteis
mecieron

Pret. anterior
(Bello : Antepretérito)

hube mecido
hubiste mecido
hubo mecido
hubimos mecido
hubisteis mecido
hubieron mecido

Futuro
(Bello : Futuro)

meceré
mecerás
mecerá
meceremos
meceréis
mecerán

Futuro perf.
(Bello : Antefuturo)

habré mecido
habrás mecido
habrá mecido
habremos mecido
habréis mecido
habrán mecido

Condicional
(Bello : Pospretérito)

mecería
mecerías
mecería
meceríamos
meceríais
mecerían

Condicional perf.
(Bello : Antepospretérito)

habría mecido
habrías mecido
habría mecido
habríamos mecido
habríais mecido
habrían mecido

___ SUBJUNTIVO ___

Presente
(Bello : Presente)

meza
mezas
meza
mezamos
mezáis
mezan

Pret. perf.
(Bello : Antepresente)

haya mecido
hayas mecido
haya mecido
hayamos mecido
hayáis mecido
hayan mecido

Pret. imperf.
(Bello : Pretérito)

meciera
o meciese
mecieras
o mecieses
meciera
o meciese
meciéramos
o meciésemos
mecierais
o mecieseis
mecieran
o meciesen

Pret. pluscuamp.
(Bello : Antepretérito)

hubiera
o hubiese mecido
hubieras
o hubieses mecido
hubiera
o hubiese mecido
hubiéramos
o hubiésemos mecido
hubierais
o hubieseis mecido
hubieran
o hubiesen mecido

Futuro
(Bello : Futuro)

meciere
mecieres
meciere
meciéremos
meciereis
mecieren

Futuro perf.
(Bello : Antefuturo)

hubiere mecido
hubieres mecido
hubiere mecido
hubiéremos mecido
hubiereis mecido
hubieren mecido

___ IMPERATIVO ___

Presente

mece tú
meza él
mezamos nosotros
meced vosotros
mezan ellos

___ FORMAS NO PERSONALES ___

Infinitivo
mecer

Infinitivo compuesto
haber mecido

Gerundio
meciendo

Gerundio compuesto
habiendo mecido

Participio
mecido

84 proteger

___ INDICATIVO___

Presente (Bello : Presente)	Pret. perf. comp. (Bello : Antepresente)	
protejo	he	protegido
proteges	has	protegido
protege	ha	protegido
protegemos	hemos	protegido
protegéis	habéis	protegido
protegen	han	protegido

Pret. imperf. (Bello : Copretérito)	Pret. pluscuamp. (Bello : Antecopretérito)	
protegía	había	protegido
protegías	habías	protegido
protegía	había	protegido
protegíamos	habíamos	protegido
protegíais	habíais	protegido
protegían	habían	protegido

Pret. perf. simple (Bello : Pretérito)	Pret. anterior (Bello : Antepretérito)	
protegí	hube	protegido
protegiste	hubiste	protegido
protegió	hubo	protegido
protegimos	hubimos	protegido
protegisteis	hubisteis	protegido
protegieron	hubieron	protegido

Futuro (Bello : Futuro)	Futuro perf. (Bello : Antefuturo)	
protegeré	habré	protegido
protegerás	habrás	protegido
protegerá	habrá	protegido
protegeremos	habremos	protegido
protegeréis	habréis	protegido
protegerán	habrán	protegido

Condicional (Bello : Pospretérito)	Condicional perf. (Bello : Antepospretérito)	
protegería	habría	protegido
protegerías	habrías	protegido
protegería	habría	protegido
protegeríamos	habríamos	protegido
protegeríais	habríais	protegido
protegerían	habrían	protegido

___ SUBJUNTIVO___

Presente (Bello : Presente)	Pret. perf. (Bello : Antepresente)	
proteja	haya	protegido
protejas	hayas	protegido
proteja	haya	protegido
protejamos	hayamos	protegido
protejáis	hayáis	protegido
protejan	hayan	protegido

Pret. imperf. (Bello : Pretérito)	Pret. pluscuamp. (Bello : Antepretérito)	
protegiera	hubiera	
o protegiese	o hubiese	protegido
protegieras	hubieras	
o protegieses	o hubieses	protegido
protegiera	hubiera	
o protegiese	o hubiese	protegido
protegiéramos	hubiéramos	
o protegiésemos	o hubiésemos	protegido
protegierais	hubierais	
o protegieseis	o hubieseis	protegido
protegieran	hubieran	
o protegiesen	o hubiesen	protegido

Futuro (Bello : Futuro)	Futuro perf. (Bello : Antefuturo)	
protegiere	hubiere	protegido
protegieres	hubieres	protegido
protegiere	hubiere	protegido
protegiéremos	hubiéremos	protegido
protegiereis	hubiereis	protegido
protegieren	hubieren	protegido

___ IMPERATIVO___

Presente

protege	tú
proteja	él
protejamos	nosotros
proteged	vosotros
protejan	ellos

___ FORMAS NO PERSONALES___

Infinitivo	Infinitivo compuesto
proteger	haber protegido
Gerundio	**Gerundio compuesto**
protegiendo	habiendo protegido
Participio	
protegido	

85 zurcir

____ INDICATIVO ____

Presente
(Bello : Presente)

zurzo
zurces
zurce
zurcimos
zurcís
zurcen

Pret. perf. comp.
(Bello : Antepresente)

he zurcido
has zurcido
ha zurcido
hemos zurcido
habéis zurcido
han zurcido

Pret. imperf.
(Bello : Copretérito)

zurcía
zurcías
zurcía
zurcíamos
zurcíais
zurcían

Pret. pluscuamp.
(Bello : Antecopretérito)

había zurcido
habías zurcido
había zurcido
habíamos zurcido
habíais zurcido
habían zurcido

Pret. perf. simple
(Bello : Pretérito)

zurcí
zurciste
zurció
zurcimos
zurcisteis
zurcieron

Pret. anterior
(Bello : Antepretérito)

hube zurcido
hubiste zurcido
hubᴸo zurcido
hubimos zurcido
hubisteis zurcido
hubieron zurcido

Futuro
(Bello : Futuro)

zurciré
zurcirás
zurcirá
zurciremos
zurciréis
zurcirán

Futuro perf.
(Bello : Antefuturo)

habré zurcido
habrás zurcido
habrá zurcido
habremos zurcido
habréis zurcido
habrán zurcido

Condicional
(Bello : Pospretérito)

zurciría
zurcirías
zurciría
zurciríamos
zurciríais
zurcirían

Condicional perf.
(Bello : Antepospretérito)

habría zurcido
habrías zurcido
habría zurcido
habríamos zurcido
habríais zurcido
habrían zurcido

____ SUBJUNTIVO ____

Presente
(Bello : Presente)

zurza
zurzas
zurza
zurzamos
zurzáis
zurzan

Pret. perf.
(Bello : Antepresente)

haya zurcido
hayas zurcido
haya zurcido
hayamos zurcido
hayáis zurcido
hayan zurcido

Pret. imperf.
(Bello : Pretérito)

zurciera
o zurciese
zurcieras
o zurcieses
zurciera
o zurciese
zurciéramos
o zurciésemos
zurcierais
o zurcieseis
zurcieran
o zurciesen

Pret. pluscuamp.
(Bello : Antepretérito)

hubiera
o hubiese zurcido
hubieras
o hubieses zurcido
hubiera
o hubiese zurcido
hubiéramos
o hubiésemos zurcido
hubierais
o hubieseis zurcido
hubieran
o hubiesen zurcido

Futuro
(Bello : Futuro)

zurciere
zurcieres
zurciere
zurciéremos
zurciereis
zurcieren

Futuro perf.
(Bello : Antefuturo)

hubiere zurcido
hubieres zurcido
hubiere zurcido
hubiéremos zurcido
hubiereis zurcido
hubieren zurcido

____ IMPERATIVO ____

Presente

zurce tú
zurza él
zurzamos nosotros
zurcid vosotros
zurzan ellos

____ FORMAS NO PERSONALES ____

Infinitivo
zurcir

Infinitivo compuesto
haber zurcido

Gerundio
zurciendo

Gerundio compuesto
habiendo zurcido

Participio
zurcido

86 dirigir

INDICATIVO

Presente
(Bello : Presente)

dirijo
diriges
dirige
dirigimos
dirigís
dirigen

Pret. perf. comp.
(Bello : Antepresente)

he dirigido
has dirigido
ha dirigido
hemos dirigido
habéis dirigido
han dirigido

Pret. imperf.
(Bello : Copretérito)

dirigía
dirigías
dirigía
dirigíamos
dirigíais
dirigían

Pret. pluscuamp.
(Bello : Antecopretérito)

había dirigido
habías dirigido
había dirigido
habíamos dirigido
habíais dirigido
habían dirigido

Pret. perf. simple
(Bello : Pretérito)

dirigí
dirigiste
dirigió
dirigimos
dirigisteis
dirigieron

Pret. anterior
(Bello : Antepretérito)

hube dirigido
hubiste dirigido
hubo dirigido
hubimos dirigido
hubisteis dirigido
hubieron dirigido

Futuro
(Bello : Futuro)

dirigiré
dirigirás
dirigirá
dirigiremos
dirigiréis
dirigirán

Futuro perf.
(Bello : Antefuturo)

habré dirigido
habrás dirigido
habrá dirigido
habremos dirigido
habréis dirigido
habrán dirigido

Condicional
(Bello : Pospretérito)

dirigiría
dirigirías
dirigiría
dirigiríamos
dirigiríais
dirigirían

Condicional perf.
(Bello : Antepospretérito)

habría dirigido
habrías dirigido
habría dirigido
habríamos dirigido
habríais dirigido
habrían dirigido

SUBJUNTIVO

Presente
(Bello : Presente)

dirija
dirijas
dirija
dirijamos
dirijáis
dirijan

Pret. perf.
(Bello : Antepresente)

haya dirigido
hayas dirigido
haya dirigido
hayamos dirigido
hayáis dirigido
hayan dirigido

Pret. imperf.
(Bello : Pretérito)

dirigiera
o dirigiese
dirigieras
o dirigieses
dirigiera
o dirigiese
dirigiéramos
o dirigiésemos
dirigierais
o dirigieseis
dirigieran
o dirigiesen

Pret. pluscuamp.
(Bello : Antepretérito)

hubiera
o hubiese dirigido
hubieras
o hubieses dirigido
hubiera
o hubiese dirigido
hubiéramos
o hubiésemos dirigido
hubierais
o hubieseis dirigido
hubieran
o hubiesen dirigido

Futuro
(Bello : Futuro)

dirigiere
dirigieres
dirigiere
dirigiéremos
dirigiereis
dirigieren

Futuro perf.
(Bello : Antefuturo)

hubiere dirigido
hubieres dirigido
hubiere dirigido
hubiéremos dirigido
hubiereis dirigido
hubieren dirigido

IMPERATIVO

Presente

dirige tú
dirija él
dirijamos nosotros
dirigid vosotros
dirijan ellos

FORMAS NO PERSONALES

Infinitivo
dirigir

Infinitivo compuesto
haber dirigido

Gerundio
dirigiendo

Gerundio compuesto
habiendo dirigido

Participio
dirigido

87 distinguir

Presente
(Bello : Presente)

distingo
distingues
distingue
distinguimos
distinguís
distinguen

Pret. perf. comp.
(Bello : Antepresente)

he distinguido
has distinguido
ha distinguido
hemos distinguido
habéis distinguido
han distinguido

Pret. imperf.
(Bello : Copretérito)

distinguía
distinguías
distinguía
distinguíamos
distinguíais
distinguían

Pret. pluscuamp.
(Bello : Antecopretérito)

había distinguido
habías distinguido
había distinguido
habíamos distinguido
habíais distinguido
habían distinguido

Pret. perf. simple
(Bello : Pretérito)

distinguí
distinguiste
distinguió
distinguimos
distinguisteis
distinguieron

Pret. anterior
(Bello : Antepretérito)

hube distinguido
hubiste distinguido
hubo distinguido
hubimos distinguido
hubisteis distinguido
hubieron distinguido

Futuro
(Bello : Futuro)

distinguiré
distinguirás
distinguirá
distinguiremos
distinguiréis
distinguirán

Futuro perf.
(Bello : Antefuturo)

habré distinguido
habrás distinguido
habrá distinguido
habremos distinguido
habréis distinguido
habrán distinguido

Condicional
(Bello : Pospretérito)

distinguiría
distinguirías
distinguiría
distinguiríamos
distinguiríais
distinguirían

Condicional perf.
(Bello : Antepospretérito)

habría distinguido
habrías distinguido
habría distinguido
habríamos distinguido
habríais distinguido
habrían distinguido

———— SUBJUNTIVO ————

Presente
(Bello : Presente)

distinga
distingas
distinga
distingamos
distingáis
distingan

Pret. perf.
(Bello : Antepresente)

haya distinguido
hayas distinguido
haya distinguido
hayamos distinguido
hayáis distinguido
hayan distinguido

Pret. imperf.
(Bello : Pretérito)

distinguiera
o distinguiese
distinguieras
o distinguieses
distinguiera
o distinguiese
distinguiéramos
o distinguiésemos
distinguierais
o distinguieseis
distinguieran
o distinguiesen

Pret. pluscuamp.
(Bello : Antepretérito)

hubiera
o hubiese distinguido
hubieras
o hubieses distinguido
hubiera
o hubiese distinguido
hubiéramos
o hubiésemos distinguido
hubierais
o hubieseis distinguido
hubieran
o hubiesen distinguido

Futuro
(Bello : Futuro)

distinguiere
distinguieres
distinguiere
distinguiéremos
distinguiereis
distinguieren

Futuro perf.
(Bello : Antefuturo)

hubiere distinguido
hubieres distinguido
hubiere distinguido
hubiéremos distinguido
hubiereis distinguido
hubieren distinguido

———— IMPERATIVO ————

Presente

distingue tú
distinga él
distingamos nosotros
distinguid vosotros
distingan ellos

———— FORMAS NO PERSONALES ————

Infinitivo
distinguir

Infinitivo compuesto
haber distinguido

Gerundio
distinguiendo

Gerundio compuesto
habiendo distinguido

Participio
distinguido

88 delinquir

INDICATIVO

Presente
(Bello : Presente)

delinco
delinques
delinque
delinquimos
delinquís
delinquen

Pret. perf. comp.
(Bello : Antepresente)

he delinquido
has delinquido
ha delinquido
hemos delinquido
habéis delinquido
han delinquido

Pret. imperf.
(Bello : Copretérito)

delinquía
delinquías
delinquía
delinquíamos
delinquíais
delinquían

Pret. pluscuamp.
(Bello : Antecopretérito)

había delinquido
habías delinquido
había delinquido
habíamos delinquido
habíais delinquido
habían delinquido

Pret. perf. simple
(Bello : Pretérito)

delinquí
delinquiste
delinquió
delinquimos
delinquisteis
delinquieron

Pret. anterior
(Bello : Antepretérito)

hube delinquido
hubiste delinquido
hubo delinquido
hubimos delinquido
hubisteis delinquido
hubieron delinquido

Futuro
(Bello : Futuro)

delinquiré
delinquirás
delinquirá
delinquiremos
delinquiréis
delinquirán

Futuro perf.
(Bello : Antefuturo)

habré delinquido
habrás delinquido
habrá delinquido
habremos delinquido
habréis delinquido
habrán delinquido

Condicional
(Bello : Pospretérito)

delinquiría
delinquirías
delinquiría
delinquiríamos
delinquiríais
delinquirían

Condicional perf.
(Bello : Antepospretérito)

habría delinquido
habrías delinquido
habría delinquido
habríamos delinquido
habríais delinquido
habrían delinquido

SUBJUNTIVO

Presente
(Bello : Presente)

delinca
delincas
delinca
delincamos
delincáis
delincan

Pret. perf.
(Bello : Antepresente)

haya delinquido
hayas delinquido
haya delinquido
hayamos delinquido
hayáis delinquido
hayan delinquido

Pret. imperf.
(Bello : Pretérito)

delinquiera
o delinquiese
delinquieras
o delinquieses
delinquiera
o delinquiese
delinquiéramos
o delinquiésemos
delinquierais
o delinquieseis
delinquieran
o delinquiesen

Pret. pluscuamp.
(Bello : Antepretérito)

hubiera
o hubiese delinquido
hubieras
o hubieses delinquido
hubiera
o hubiese delinquido
hubiéramos
o hubiésemos delinquido
hubierais
o hubieseis delinquido
hubieran
o hubiesen delinquido

Futuro
(Bello : Futuro)

delinquiere
delinquieres
delinquiere
delinquiéremos
delinquiereis
delinquieren

Futuro perf.
(Bello : Antefuturo)

hubiere delinquido
hubieres delinquido
hubiere delinquido
hubiéremos delinquido
hubiereis delinquido
hubieren delinquido

IMPERATIVO

Presente

delinque tú
delinca él
delincamos nosotros
delinquid vosotros
delincan ellos

FORMAS NO PERSONALES

Infinitivo
delinquir

Infinitivo compuesto
haber delinquido

Gerundio
delinquiendo

Gerundio compuesto
habiendo delinquido

Participio
delinquido

89 prohibir

Presente (Bello : Presente)	Pret. perf. comp. (Bello : Antepresente)		Presente (Bello : Presente)	Pret. perf. (Bello : Antepresente)	
prohíbo	he	prohibido	prohíba	haya	prohibido
prohíbes	has	prohibido	prohíbas	hayas	prohibido
prohíbe	ha	prohibido	prohíba	haya	prohibido
prohibimos	hemos	prohibido	prohibamos	hayamos	prohibido
prohibís	habéis	prohibido	prohibáis	hayáis	prohibido
prohíben	han	prohibido	prohíban	hayan	prohibido

Pret. imperf. (Bello : Copretérito)	Pret. pluscuamp. (Bello : Antecopretérito)		Pret. imperf. (Bello : Pretérito)	Pret. pluscuamp. (Bello : Antepretérito)	
prohibía	había	prohibido	prohibiera	hubiera	
prohibías	habías	prohibido	o prohibiese	o hubiese	prohibido
prohibía	había	prohibido	prohibieras	hubieras	
prohibíamos	habíamos	prohibido	o prohibieses	o hubieses	prohibido
prohibíais	habíais	prohibido	prohibiera	hubiera	
prohibían	habían	prohibido	o prohibiese	o hubiese	prohibido
			prohibiéramos	hubiéramos	
			o prohibiésemos	o hubiésemos	prohibido
			prohibierais	hubierais	
			o prohibieseis	o hubieseis	prohibido
			prohibieran	hubieran	
			o prohibiesen	o hubiesen	prohibido

Pret. perf. simple (Bello : Pretérito)	Pret. anterior (Bello : Antepretérito)	
prohibí	hube	prohibido
prohibiste	hubiste	prohibido
prohibió	hubo	prohibido
prohibimos	hubimos	prohibido
prohibisteis	hubisteis	prohibido
prohibieron	hubieron	prohibido

Futuro (Bello : Futuro)	Futuro perf. (Bello : Antefuturo)	
prohibiere	hubiere	prohibido
prohibieres	hubieres	prohibido
prohibiere	hubiere	prohibido
prohibiéremos	hubiéremos	prohibido
prohibiereis	hubiereis	prohibido
prohibieren	hubieren	prohibido

Futuro (Bello : Futuro)	Futuro perf. (Bello : Antefuturo)	
prohibiré	habré	prohibido
prohibirás	habrás	prohibido
prohibirá	habrá	prohibido
prohibiremos	habremos	prohibido
prohibiréis	habréis	prohibido
prohibirán	habrán	prohibido

Presente

prohíbe	tú
prohíba	él
prohibamos	nosotros
prohibid	vosotros
prohíban	ellos

Condicional (Bello : Pospretérito)	Condicional perf. (Bello : Antepospretérito)	
prohibiría	habría	prohibido
prohibirías	habrías	prohibido
prohibiría	habría	prohibido
prohibiríamos	habríamos	prohibido
prohibiríais	habríais	prohibido
prohibirían	habrían	prohibido

Infinitivo prohibir	Infinitivo compuesto haber prohibido
Gerundio prohibiendo	Gerundio compuesto habiendo prohibido
Participio prohibido	

90 reunir

INDICATIVO

Presente
(Bello : Presente)

reúno
reúnes
reúne
reunimos
reunís
reúnen

Pret. perf. comp.
(Bello : Antepresente)

he reunido
has reunido
ha reunido
hemos reunido
habéis reunido
han reunido

Pret. imperf.
(Bello : Copretérito)

reunía
reunías
reunía
reuníamos
reuníais
reunían

Pret. pluscuamp.
(Bello : Antecopretérito)

había reunido
habías reunido
había reunido
habíamos reunido
habíais reunido
habían reunido

Pret. perf. simple
(Bello : Pretérito)

reuní
reuniste
reunió
reunimos
reunisteis
reunieron

Pret. anterior
(Bello : Antepretérito)

hube reunido
hubiste reunido
hubo reunido
hubimos reunido
hubisteis reunido
hubieron reunido

Futuro
(Bello : Futuro)

reuniré
reunirás
reunirá
reuniremos
reuniréis
reunirán

Futuro perf.
(Bello : Antefuturo)

habré reunido
habrás reunido
habrá reunido
habremos reunido
habréis reunido
habrán reunido

Condicional
(Bello : Pospretérito)

reuniría
reunirías
reuniría
reuniríamos
reuniríais
reunirían

Condicional perf.
(Bello : Antepospretérito)

habría reunido
habrías reunido
habría reunido
habríamos reunido
habríais reunido
habrían reunido

SUBJUNTIVO

Presente
(Bello : Presente)

reúna
reúnas
reúna
reunamos
reunáis
reúnan

Pret. perf.
(Bello : Antepresente)

haya reunido
hayas reunido
haya reunido
hayamos reunido
hayáis reunido
hayan reunido

Pret. imperf.
(Bello : Pretérito)

reuniera
o reuniese
reunieras
o reunieses
reuniera
o reuniese
reuniéramos
o reuniésemos
reunierais
o reunieseis
reunieran
o reuniesen

Pret. pluscuamp.
(Bello : Antepretérito)

hubiera
o hubiese reunido
hubieras
o hubieses reunido
hubiera
o hubiese reunido
hubiéramos
o hubiésemos reunido
hubierais
o hubieseis reunido
hubieran
o hubiesen reunido

Futuro
(Bello : Futuro)

reuniere
reunieres
reuniere
reuniéremos
reuniereis
reunieren

Futuro perf.
(Bello : Antefuturo)

hubiere reunido
hubieres reunido
hubiere reunido
hubiéremos reunido
hubiereis reunido
hubieren reunido

IMPERATIVO

Presente

reúne tú
reúna él
reunamos nosotros
reunid vosotros
reúnan ellos

FORMAS NO PERSONALES

Infinitivo
reunir

Infinitivo compuesto
haber reunido

Gerundio
reuniendo

Gerundio compuesto
habiendo reunido

Participio
reunido

Índice alfabético de verbos

(los números indican los cuadros de conjugación del modelo)

Se utilizan las siguientes abreviaturas :
[defect.] = verbo defectivo
[unipers.] = verbo unipersonal
[part. irreg.] = participio irregular
[dos part.] = dos participios

En los apéndices al final del libro aparecen listas alfabéticas de los verbos con algunas de estas características.

a

abrevar	3	acanastillar	3	aciberar	3
abreviar	3	acancerarse	3	acicalar	3
abribonarse	3	acanchar	3	acicatear	3
abrigar	72	acandilar	3	acidificar	71
abrillantar	3	acantar	3	acidular	3
abriolar	3	acantilar	3	aciguatar	3
abrir [part. irreg.]	5	acantonar	3	acincelar	3
abrocalar	3	acanutar	3	acingar	72
abrochar	3	acanutillar	3	aclamar	3
abrogar	72	acaparar	3	aclarar	3
abromar	3	acapararse	3	aclarecer	35
abroncar	71	acapullarse	3	aclavelarse	3
abroquelar	3	acaracolarse	3	aclimatar	3
abrumar	3	acaramelar	3	aclocar	60
abrutar	3	acardenalar	3	acobardar	3
absolver	21	acarear	3	acocarse	71
absorber [dos part.]	4	acariciar	3	acocear	3
abstenerse	15	acarminar	3	acocotar	3
absterger	84	acarnerar	3	acochambrar	3
abstraer [dos part.]	51	acarralarse	3	acocharse	3
abuchear	3	acarrear	3	acochinar	3
abultar	3	acarroñarse	3	acodalar	3
abundar	3	acartonar	3	acodar	3
abuñolar	19	acasamatar	3	acoderar	3
abuñuelar	3	acaserarse	3	acodiciar	3
aburguesarse	3	acatar	3	acodillar	3
aburilar	3	acatarrar	3	acoger	84
aburrarse	3	acatastrar	3	acogollar	3
aburrir	5	acaudalar	3	acogotar	3
abusar	3	acaudillar	3	acohombrar	3
acaballar	3	acceder	4	acojinar	3
acaballerar	3	accidentalizar	73	acojonar	3
acaballonar	3	accidentar	3	acolar	3
acabañar	3	accionar	3	acolchar	3
acabar	3	acebollarse	3	acolchonar	3
acabestrarse	3	acecinar	3	acolgajar	3
acabestrillar	3	acechar	3	acolitar	3
acabildar	3	acedar	3	acollar	19
acachetar	3	aceitar	3	acollarar	3
acachetear	3	acelerar	3	acollonar	3
academizar	73	acendrar	3	acombar	3
acadenillar	3	acenefar	3	acomedir	6
acaecer [defect.]	35	acensuar	76	acometer	4
acalabazarse	73	acentuar	76	acomodar	3
acalabrotar	3	acepar	3	acompañar	3
acalambrarse	3	acepillar	3	acompasar	3
acalandrar	3	aceptar	3	acomplejar	3
acalenturarse	3	acequiar	3	acomunar	3
acalorar	3	acerar	3	aconchabarse	3
acallar	3	acercar	71	aconchar	3
acamalar	3	acerrar	11	acondicionar	3
acamaleonarse	3	acerrojar	3	acongojar	3
acamar	3	acertar	11	aconsejar	3
acamastronarse	3	acervar	3	aconsonantar	3
acamellonar	3	acestonar	3	acontecer [defect.]	35
acampanar	3	acetificar	71	acopar	3
acampar	3	acetrinar	3	acopejar	3
acanalar	3	acezar	73	acopetar	3
acanallar	3	acibarar	3	acopiar	3

121

canjear	3	carpintear	3	censar	3
canonizar	73	carpir	5	censurar	3
cansar	3	carraspear	3	centellar [unipers.]	3
cantalear	3	carrerear	3	centellear [unipers.]	3
cantaletear	3	carretear	3	centonar	3
cantar	3	carrochar	3	centralizar	73
cantear	3	carroñar	3	centrar	3
cantinflear	3	carrozar	73	centrear	3
cantonar	3	cartear	3	centrifugar	72
cantonear	3	cartografiar	75	centuplicar	71
canturrear	3	casar	3	ceñir	8
canturriar	3	cascabelear	3	cepillar	3
cañear	3	cascamajar	3	cercar	71
cañonear	3	cascar	71	cercenar	3
capacitar	3	cascotear	3	cerciorar	3
capar	3	caseificar	71	cerchar	3
capear	3	caspar	3	cerchear	3
capialzar	73	castañetear	3	cerdear	3
capitalizar	73	castellanizar	73	cerner	13
capitanear	3	castigar	72	cernir	17
capitonear	3	castrar	3	cerotear	3
capitular	3	catalanizar	73	cerrajear	3
capitulear	3	catalogar	72	cerrar	11
caponearse	3	catapultar	3	certificar	71
capotar	3	catar	3	cesantear	3
capotear	3	catatar	3	cesar	3
capsular	3	catear	3	cespitar	3
captar	3	catequizar	73	ciar	75
capturar	3	cateterizar	73	cicatear	3
caracolear	3	catitear	3	cicaterear	3
caracterizar	73	catolizar	73	cicatrizar	73
carambolear	3	caucionar	3	ciclar	3
caramelizar	73	causar	3	cifrar	3
caratular	3	causear	3	ciguatarse	3
carbonar	3	caustificar	71	cilindrar	3
carbonatar	3	cautelarse	3	cimarronear	3
carbonear	3	cauterizar	73	cimbrar	3
carbonizar	73	cautivar	3	cimbrear	3
carburar	3	cavar	3	cimentar	11
carcajear	3	cavilar	3	cincelar	3
carcomer	4	cayapear	3	cinchar	3
cardar	3	cazar	73	cinematografiar	75
cardioinjertar	3	cazcalear	3	cinglar	3
carear	3	cazoletear	3	cintarear	3
carecer	35	cazumbrar	3	cintilar	3
carenar	3	cebar	3	circuir	44
cargar	72	cecear	3	circular	3
cargosear	3	cecinar	3	circunceñir	8
cariar	3	cedacear	3	circuncidar [dos part.]	3
caricaturar	3	ceder	4	circundar	3
caricaturizar	73	cegar	63	circunferir	27
carimbar	3	cejar	3	circunloquear	3
carlear	3	celar	3	circunnavegar	3
carmenar	3	celebrar	3	circunscribir [part. irreg.]	5
carnavalear	3	cellisquear [unipers.]	3	circunstanciar	3
carnear	3	cementar	3	circunvalar	3
carnerear	3	cenar	3	circunvenir	18
carnificarse	71	cencerrear	3	circunvolar	19
carpetear	3	cendrar	3	ciscar	71

126

daguerrotipar	3	deformar	3	derrabar	3
dallar	3	defraudar	3	derramar	3
damasquinar	3	degenerar	3	derrapar	3
damnificar	71	deglutir	5	derrelinquir	88
danzar	73	degollar	19	derrenegar	63
dañar	3	degradar	3	derrengar	72
dar	56	degustar	3	derretir	6
datar	3	deificar	71	derribar	3
deambular	3	dejar	3	derrocar	71
debatir	5	delatar	3	derrochar	3
debelar	3	delegar	72	derrotar	3
deber	4	deleitar	3	derrubiar	3
debilitar	3	deletrear	3	derruir	44
debitar	3	deleznarse	3	derrumbar	3
debocar	71	deliberar	3	desabarrancar	71
debutar	3	delimitar	3	desabastecer	35
decaer	50	delinear	3	desabollar	3
decalcificar	71	delinquir	88	desabordarse	3
decalvar	3	delirar	3	desabotonar	3
decampar	3	demacrar	3	desabrigar	72
decantar	3	demandar	3	desabrir [part. irreg.]	5
decapar	3	demarcar	71	desabrochar	3
decapitar	3	demasiarse	75	desacalorarse	3
decarbonar	3	democratizar	73	desacatar	3
decarbonatar	3	demoler	22	desacedar	3
decarburar	3	demorar	3	desaceitar	3
decelerar	3	demostrar	19	desacelerar	3
decentar	11	demudar	3	desacerar	3
decepcionar	3	denegar	63	desacerbar	3
decidir	5	denegrecer	35	desacertar	11
decimalizar	73	denegrir [defect.]	5	desacidificar	71
decir	46	denguear	3	desacidular	3
declamar	3	denigrar	3	desaclimatar	3
declarar	3	denominar	3	desacobardar	3
declinar	3	denostar	19	desacollarar	3
decodificar	71	denotar	3	desacomodar	3
decolorar	3	densificar	71	desacompañar	3
decomisar	3	dentar	11	desacondicionar	3
decontaminar	3	dentellar	3	desaconsejar	3
decorar	3	dentellear	3	desacoplar	3
decrecer	35	denudar	3	desacordar	19
decrepitar	3	denunciar	3	desacordonar	3
decretar	3	deparar	3	desacorralar	3
decuplar	3	departir	5	desacostumbrar	3
decuplicar	71	depauperar	3	desacotar	3
dedalear	3	depender	4	desacralizar	73
dedicar	71	depilar	3	desacreditar	3
deducir	39	deplorar	3	desactivar	3
defalcar	71	deponer	16	desacuartelar	3
defasar	3	deportar	3	desadeudar	3
defecar	71	depositar	3	desadormecer	35
defeccionar	3	depravar	3	desadornar	3
defender	13	deprecar	71	desadvertir	27
defenestrar	3	depreciar	3	desafear	3
deferir	27	depredar	3	desaferrar	11
definir	5	deprimir	5	desafiar	75
deflacionar	3	depurar	3	desaficionar	3
deflagrar	3	derivar	3	desafilar	3
deflegmar	3	derogar	72	desafinar	3

131

desmanchar	3	desnucar	71	despaturrar	3
desmandar	3	desnuclearizar	73	despavesar	3
desmangar	72	desnudar	3	despavonar	3
desmaniguar	77	desnutrirse	5	despavorir [defect.]	70
desmantecar	71	desobedecer	35	despearse	3
desmantelar	3	desobligar	72	despechar	3
desmaquillar	3	desobstruir	44	despechugar	72
desmarañar	3	desocultar	3	despedazar	73
desmarcar	71	desocupar	3	despedir	6
desmarojar	3	desodorizar	73	despedrar	11
desmatar	3	desoír	45	despedregar	72
desmaterializar	73	desojar	3	despegar	72
desmatonar	3	desolar	19	despeinar	3
desmayar	3	desoldar	19	despejar	3
desmechar	3	desolidarizarse	73	despelotar	3
desmedirse	6	desollar	19	despelucar	71
desmedrar	3	desopilar	3	despeluzar	73
desmejorar	3	desopinar	3	despeluznar	3
desmelar	11	desoprimir	5	despellejar	3
desmelenar	3	desorbitar	3	despenar	3
desmembrar	11	desordenar	3	despeñar	3
desmemoriarse	3	desorejar	3	despepitar	3
desmenguar	77	desorganizar	73	despercudir	5
desmentir	27	desorientar	3	desperdiciar	3
desmenudear	3	desorillar	3	desperdigar	72
desmenuzar	73	desornamentar	3	desperecer	35
desmeollar	3	desornar	3	desperezarse	73
desmerecer	35	desortijar	3	desperfilar	3
desmesurar	3	desosar	20	despernancarse	71
desmigajar	3	desovar	3	despernar	11
desmigar	72	desovillar	3	despersonalizar	73
desmilitarizar	73	desoxidar	3	despertar [dos part.]	11
desmineralizar	73	desoxigenar	3	despestañar	3
desmitificar	71	despabilar	3	despezar	64
desmochar	3	despachar	3	despezonar	3
desmogar	72	despachurrar	3	despezuñarse	3
desmolar	3	despajar	3	despicar	71
desmoldar	3	despaldar	3	despichar	3
desmoler	22	despaldillar	3	despiezar	73
desmonetizar	73	despaletar	3	despilarar	3
desmontar	3	despaletillar	3	despilfarrar	3
desmoñar	3	despalillar	3	despimpollar	3
desmoralizar	73	despalmar	3	despinochar	3
desmorecerse	35	despampanar	3	despintar	3
desmorfinizar	73	despampanillar	3	despinzar	73
desmoronar	3	despamplonar	3	despiojar	3
desmotar	3	despancar	71	despistar	3
desmovilizar	73	despancijar	3	despizcar	71
desmugrar	3	despanzurrar	3	desplacer	36
desmultiplicar	71	despapar	3	desplanchar	3
desmullir	9	desparafinar	3	desplantar	3
desnacionalizar	73	desparedar	3	desplatar	3
desnarigar	72	desparejar	3	desplatear	3
desnatar	3	desparpajar	3	desplayar	3
desnaturalizar	73	desparramar	3	desplazar	73
desnaturarse	3	desparrancarse	71	desplegar	63
desnicotinizar	73	desparvar	3	despleguetear	3
desnitrificar	71	despatarrar	3	desplomar	3
desnivelar	3	despatillar	3	desplumar	3

emballenar	3	emborrar	3	empanar	3
embanastar	3	emborrascar	71	empandar	3
embancarse	71	emborrazar	73	empandillar	3
embanderar	3	emborricarse	71	empantanar	3
embanquetar	3	emborrizar	73	empanturrarse	3
embarazar	73	emborronar	3	empanzarse	73
embarbascarse	71	emborrullarse	3	empañar	3
embarbecer	35	emboscar	71	empañetar	3
embarbillar	3	embosquecer	35	empapar	3
embarcar	71	embotar	3	empapelar	3
embardar	3	embotellar	3	empapirotar	3
embargar	72	emboticarse	71	empapujar	3
embarnecer	35	embotijar	3	empaquetar	3
embarnizar	73	embotonar	3	emparamarse	3
embarrancar	71	embovedar	3	emparchar	3
embarrar	3	embozalar	3	empardar	3
embarrialarse	3	embozar	73	emparedar	3
embarrilar	3	embragar	72	emparejar	3
embarrotar	3	embramar	3	emparentar	11
embarullar	3	embravar	3	emparrandarse	3
embastar	3	embravecer	35	emparrar	3
embastecer	35	embrazar	73	emparrillar	3
embaucar	71	embrear	3	emparvar	3
embaular	82	embregarse	72	empastar	3
embazar	73	embreñarse	3	empastelar	3
embebecer	35	embretar	3	empatar	3
embeber	4	embriagar	72	empavar	3
embejucar	71	embridar	3	empavesar	3
embelecar	71	embrocar	71	empavonar	3
embeleñar	3	embrollar	3	empavorecer	35
embelesar	3	embromar	3	empecer	35
embellaquecer	35	embroquelarse	3	empecinarse	3
embellecarse	71	embroquetar	3	empedarse	3
embellecer	35	embrozar	73	empedernecer	35
embermejar	3	embrujar	3	empedernir [defect.]	70
embermejecer	35	embrutecer	35	empedrar	11
emberrenchinarse	3	embuchar	3	empegar	72
emberrincharse	3	embudar	3	empeguntar	3
embestir	6	embullar	3	empelar	3
embetunar	3	emburujar	3	empelechar	3
embicar	71	embustear	3	empelotarse	3
embijar	3	embutir	5	empellar	3
embizcar	71	emerger	84	empellejar	3
emblandecer	35	emigrar	3	empeller	7
emblanquecer	35	emitir	5	empenachar	3
embobar	3	emocionar	3	empeñar	3
embobecer	35	empacar	71	empeñolarse	3
embobinar	3	empachar	3	empeorar	3
embocar	71	empadrarse	3	empequeñecer	35
embocinarse	3	empadronar	3	empercudir	5
embochinchar	3	empajar	3	emperchar	3
embodegar	72	empajolar	19	emperdigar	72
embojar	3	empalagar	72	emperejilar	3
embolar	3	empalar	3	emperezar	73
embolatar	3	empalizar	73	empergaminar	3
embolismar	3	empalmar	3	empericar	71
embolsar	3	empalomar	3	emperifollar	3
emboquillar	3	empampanarse	3	empernar	3
emborrachar	3	empamparse	3	emperrarse	3

encastrar	3	encorchar	3	enchipar	3
encastrinarse	3	encorchetar	3	enchiquerar	3
encauchar	3	encordar	19	enchironar	3
encausar	3	encordelar	3	enchispar	3
encausticar	71	encordonar	3	enchivarse	3
encauzar	73	encorecer	35	enchuecar	71
encavarse	3	encornar	19	enchufar	3
encebadar	3	encornudar	3	enchularse	3
encebollar	3	encorozar	73	enchutar	3
encelar	3	encorralar	3	endechar	3
enceldar	3	encorselar	3	endehesar	3
encellar	3	encorsetar	3	endemoniar	3
encenagarse	72	encortinar	3	endentar	11
encender	13	encorvar	3	endentecer	35
encenizar	73	encostalar	3	enderezar	73
encentar	11	encostrar	3	endeudarse	3
encentrar	3	encovar	19	endiablar	3
encepar	3	encrasar	3	endilgar	72
encerar	3	encrespar	3	endiñar	3
encerrar	11	encrestarse	3	endiosar	3
encespedar	3	encristalar	3	enditarse	3
encestar	3	encrudecer	35	endomingarse	72
enciguatarse	3	encruelecer	35	endosar	3
encimar	3	encuadernar	3	endoselar	3
encintar	3	encuadrar	3	endrogarse	72
encintrar	3	encuartar	3	endulzar	73
encismar	3	encuartelar	3	endurecer	35
encizañar	3	encuatar	3	enejar	3
enclancharse	3	encubar	3	enemistar	3
enclaustrar	3	encubertar	3	enervar	3
enclavar	3	encubrir [part. irreg.]	5	enfadar	3
enclavijar	3	encuclillarse	3	enfajar	3
enclocar	60	encucurucharse	3	enfajillar	3
encloquecer	35	encuellar	3	enfaldar	3
encobar	3	encuerar	3	enfangar	72
encobijar	3	encuestar	3	enfardar	3
encobrar	3	encufar	3	enfardelar	3
encoclar	3	encuitarse	3	enfatizar	73
encocorar	3	enculatar	3	enfermar	3
encofrar	3	encumbrar	3	enfervorecer	35
encoger	84	encunar	3	enfervorizar	73
encojar	3	encurdarse	3	enfeudar	3
encolar	3	encurdelarse	3	enfielar	3
encolchar	3	encureñar	3	enfierecerse	35
encolerizar	73	encurrucarse	71	enfiestarse	3
encolumnarse	3	encurtir	5	enfilar	3
encomendar	11	enchalecar	71	enflaquecer	35
encomiar	3	enchamicar	71	enflatarse	3
encompadrar	3	enchancletar	3	enflautar	3
enconar	3	enchancharse	3	enflorar	3
encongarse	72	enchapar	3	enflorecer	35
encontrar	19	enchaparrarse	3	enfocar	71
encoñarse	3	enchaquetarse	3	enfollonar	3
encopetar	3	encharcar	71	enfoscar	71
encorachar	3	enchastrar	3	enfrailar	3
encorajar	3	enchicharse	3	enfranquecer	35
encorajinar	3	enchilar	3	enfrascar	71
encorar	19	enchinar	3	enfrentar	3
encorazar	73	enchinchar	3	enfriar	75

enfrijolarse	3	engoznar	3	enjaular	3
enfrontar	3	engranar	3	enjebar	3
enfuetarse	3	engrandar	3	enjergar	72
enfullar	3	engrandecer	35	enjertar	3
enfullinarse	3	engranerar	3	enjicar	71
enfundar	3	engranujarse	3	enjiquerar	3
enfuñarse	3	engrapar	3	enjotarse	3
enfurecer	35	engrasar	3	enjoyar	3
enfurruñarse	3	engravecer	35	enjuagar	72
enfurruscarse	71	engreír	10	enjugar [dos part.]	72
enfurtir	5	engrescar	71	enjuiciar	3
engafar	3	engrifar	3	enjuncar	71
engaitar	3	engrillar	3	enjutar	3
engalabernar	3	engrincharse	3	enlabiar	3
engalanar	3	engringarse	72	enlaciar	3
engalerar	3	engrosar	19	enladrillar	3
engalgar	72	engrudar	3	enlagunar	3
engallarse	3	engruesar	3	enlajar	3
enganchar	3	engrumecerse	35	enlamar	3
engangrenarse	3	enguachinar	3	enlanguidecer	35
engañar	3	engualdrapar	3	enlardar	3
engarabatar	3	enguancharse	3	enlatar	3
engarabitarse	3	enguantar	3	enlazar	73
engaratusar	3	enguatar	3	enlechar	3
engarbarse	3	enguedejar	3	enlegajar	3
engarbullar	3	enguijarrar	3	enlejiar	75
engargantar	3	enguillotarse	3	enlenzar	64
engargolar	3	enguirnaldar	3	enligar	72
engaritar	3	engullir	9	enlijarse	3
engarrafar	3	engurruminar	3	enlisar	3
engarriar	3	engurrumir	5	enlistar	3
engarrotar	3	engurruñar	3	enlistonar	3
engarruñar	3	engurruñir	5	enlizar	73
engarzar	73	enhacinar	3	enlodar	3
engasar	3	enharinar	3	enlodazar	73
engastar	3	enhastiar	75	enlomar	3
engatar	3	enhatijar	3	enloquecer	35
engatillar	3	enhebillar	3	enlosar	3
engatusar	3	enhebrar	3	enlozanarse	3
engauchar	3	enhestar	11	enlozar	73
engazuzar	73	enhielar	3	enlucir	38
engendrar	3	enhilar	3	enlustrecer	35
engentarse	3	enhorcar	71	enlutar	3
engerirse	27	enhornar	3	enllantar	3
engibar	3	enhorquetar	3	enllentecer	35
englobar	3	enhuecar	71	enllocar	60
englutir	5	enhuerar	3	enmadejar	3
engolar	3	enigmatizar	73	enmaderar	3
engolfar	3	enjabegarse	72	enmadrarse	3
engolillarse	3	enjabonar	3	enmagrecer	35
engolondrinarse	3	enjaezar	73	enmalecer	35
engolosinar	3	enjalbegar	72	enmalezarse	73
engolletarse	3	enjalmar	3	enmallarse	3
engolliparse	3	enjambrar	3	enmangar	72
engomar	3	enjaquimar	3	enmaniguarse	77
engominar	3	enjarciar	3	enmantar	3
engorar	19	enjardinar	3	enmarañar	3
engordar	3	enjaretar	3	enmarar	3
engorrar	3	enjarretarse	3	enmarcar	71

escocer	23	espabilar	3	esquilar	3
escocherar	3	espaciar	3	esquilmar	3
escodar	3	espachurrar	3	esquinar	3
escofinar	3	espadañar	3	esquinzar	73
escoger	84	espadar	3	esquivar	3
escolarizar	73	espadillar	3	estabilizar	73
escolasar	3	espaldear	3	establear	3
escoliar	3	espaldonar	3	establecer	35
escoltar	3	espalmar	3	estabular	3
escollar	3	espantar	3	estacar	71
escombrar	3	españolear	3	estacionar	3
esconder	4	españolizar	73	estafar	3
escoñarse	3	esparcir	85	estajar	3
escopetar	3	esparragar	72	estallar	3
escopetear	3	esparramar	3	estambrar	3
escoplear	3	esparrancarse	71	estampar	3
escorar	3	espatarrarse	3	estampillar	3
escorchar	3	especializar	73	estancar	71
escoriar	3	especificar	71	estandardizar	73
escorificar	71	especular	3	estandarizar	73
escorzar	73	espejear	3	estañar	3
escoscarse	71	espelucar	71	estaquear	3
escotar	3	espeluzar	73	estaquillar	3
escribir [part. irreg.]	5	espeluznar	3	estar	57
escriturar	3	esperanzar	73	estarcir	85
escrupulear	3	esperar	3	estatificar	71
escrupulizar	73	espesar	3	estatizar	73
escrutar	3	espetar	3	estatuir	44
escuadrar	3	espiar	75	estebar	3
escuadronar	3	espichar	3	estenografiar	75
escuajeringarse	72	espigar	72	estenotipiar	3
escuchar	3	espiguear	3	esterar	3
escudar	3	espinar	3	estercar	71
escuderear	3	espirar	3	estercolar	3
escudillar	3	espiritar	3	estereotipar	3
escudriñar	3	espiritualizar	73	esterificar	71
esculcar	71	espitar	3	esterilizar	73
esculpir	5	esplender	4	esterillar	3
esculturar	3	espolear	3	estezar	73
escullirse	9	espolinar	3	estibar	3
escupir	5	espolvorear	3	estigmatizar	73
escurrir	5	espolvorizar	73	estilar	3
esdrujulizar	73	esponjar	3	estilizar	73
esfacelarse	3	esponjear	3	estimar	3
esforzar	74	espontanearse	3	estimular	3
esfumar	3	esportear	3	estipendiar	3
esfuminar	3	esposar	3	estipular	3
esgarrar	3	espuelear	3	estirar	3
esgrafiar	75	espulgar	72	estirazar	73
esgrimir	5	espumajear	3	estocar	71
esguazar	73	espumar	3	estofar	3
esgunfiar	3	espumarajear	3	estomagar	72
eslabonar	3	espurrear	3	estoquear	3
eslavizar	73	espurriar	75	estorbar	3
esmaltar	3	espurrir	5	estornudar	3
esmerarse	3	esputar	3	estragar	72
esmerilar	3	esqueletizar	73	estrallar	3
esmorecerse	35	esquematizar	73	estrangular	3
esnifar	3	esquiar	75	estraperlear	3

f

gamonear	3	gloriar	75	guachapear	3
ganar	3	glorificar	71	guachaquear	3
gandujar	3	glosar	3	guachaquiar	3
gandulear	3	glotonear	3	guachificarse	71
gangosear	3	gobernar	11	guachinear	3
gangrenarse	3	gofrar	3	guadañar	3
ganguear	3	golear	3	guaguatear	3
gansear	3	golfear	3	guaiquear	3
gañir	9	golosear	3	guajear	3
gañotear	3	golosinar	3	gualambear	3
gapalear	3	golosinear	3	gualdrapear	3
garabatear	3	golpear	3	guanaquear	3
garafatear	3	golpetear	3	guanear	3
garantir [defect.]	70	golletear	3	guanguear	3
garantizar	73	gomar	3	guantear	3
garapiñar	3	gongorizar	73	guañir	9
garbear	3	gorbetear	3	guapear	3
garfear	3	gorgojarse	3	guaquear	3
gargajear	3	gorgojearse	3	guarachear	3
gargantear	3	gorgorear	3	guaranguear	3
gargarear	3	gorgoritear	3	guarapear	3
gargarizar	73	gorjear	3	guaraquear	3
garlar	3	gorrear	3	guardar	3
garrafiñar	3	gorronear	3	guarear	3
garrapatear	3	gotear	3	guarecer	35
garrapiñar	3	gozar	73	guaricarse	71
garrar	3	grabar	3	guarnecer	35
garrochar	3	gracejar	3	guarnicionar	3
garrochear	3	gradar	3	guarnir [defect.]	70
garrotear	3	graduar	76	guasapear	3
garrulear	3	grajear	3	guaschar	3
garuar [unipers.]	76	gramatiquear	3	guasear	3
garufear	3	granar	3	guasquear	3
gasear	3	granear	3	guastar	3
gasificar	71	granelar	3	guataquear	3
gastar	3	granizar [unipers.]	73	guatear	3
gatear	3	granjear	3	guatequear	3
gauchar	3	granular	3	guayabear	3
gauchear	3	grapar	3	guayar	3
gayar	3	gratar	3	guayuquear	3
gazmiar	3	gratificar	71	guazquear	3
gelatinificar	71	gratular	3	guerrear	3
gemiquear	3	gravar	3	guerrillear	3
gemir	6	gravear	3	guiar	75
generalizar	73	gravitar	3	guillarse	3
generar	3	graznar	3	guillotinar	3
germanizar	73	grecizar	73	güinchar	3
germinar	3	grietarse	3	guindar	3
gestar	3	grietearse	3	guiñar	3
gestear	3	grifarse	3	guiñear	3
gesticular	3	grillarse	3	guipar	3
gestionar	3	gritar	3	güisachear	3
gibar	3	gruir	44	guisar	3
gilipollear	3	grujir	5	guisinguear	3
gimotear	3	gruñir	9	guisotear	3
girar	3	guabinear	3	güisquilar	3
gitanear	3	guacalear	3	guitarrear	3
glasear	3	guacamolear	3	guitonear	3
glicerinar	3	guachachear	3	gulusmear	3

ignifugar	72	incluir [dos part.]	44	informar	3
ignorar	3	incoar [defect.]	3	infradotar	3
igualar	3	incomodar	3	infravalorar	3
ijadear	3	incomunicar	71	infringir	86
ilegitimar	3	incordiar	3	infundir [dos part.]	5
iluminar	3	incorporar	3	ingeniar	3
ilusionar	3	incrasar	3	ingerir	27
ilustrar	3	incrementar	3	ingletear	3
imaginar	3	increpar	3	ingresar	3
imanar	3	incriminar	3	ingurgitar	3
imantar	3	incrustar	3	inhabilitar	3
imbricar	71	incubar	3	inhalar	3
imbuir	44	inculcar	71	inhestar	11
imbunchar	3	inculpar	3	inhibir	5
imitar	3	incumbir [defect.]	5	inhumar	3
impacientar	3	incumplir	5	inicialar	3
impactar	3	incurrir [dos part.]	5	iniciar	3
impartir	5	incursar	3	injerir	27
impedir	6	incursionar	3	injertar [dos part.]	3
impeler	4	indagar	72	injuriar	3
impender	4	indemnizar	73	inmaterializar	73
imperar	3	independizarse	73	inmergir	86
impermeabilizar	73	indexar	3	inmigrar	3
impersonalizar	73	indianizar	73	inmiscuir	44
impetrar	3	indicar	71	inmolar	3
implantar	3	indiciar	3	inmortalizar	73
implar	3	indigestarse	3	inmovilizar	73
implementar	3	indignar	3	inmunizar	73
implicar	71	indilgar	72	inmutar	3
implorar	3	indisciplinarse	3	innovar	3
imponer	16	indisponer	16	inobservar	3
importar	3	individualizar	73	inocular	3
importunar	3	individuar	76	inquietar	3
imposibilitar	3	inducir	39	inquinar	3
imprecar	71	indulgenciar	3	inquirir	30
impregnar	3	indultar	3	insacular	3
imprentar	3	indurar	3	insalivar	3
impresionar	3	industrializar	73	inscribir [part. irreg.]	5
imprimar	3	industriar	3	insensibilizar	73
imprimir [dos part.]	5	inervar	3	inserir	27
improbar	19	infamar	3	insertar [dos part.]	3
improperar	3	infantilizar	73	insidiar	3
improvisar	3	infartar	3	insinuar	76
impugnar	3	infatuar	76	insistir	5
impulsar	3	infeccionar	3	insolar	3
impurificar	71	infectar	3	insolentar	3
imputar	3	inferir	27	insolidarizarse	73
inaugurar	3	infernar	11	insolubilizar	73
incapacitar	3	infestar	3	insonorizar	73
incardinar	3	infeudar	3	inspeccionar	3
incautarse	3	infibular	3	inspirar	3
incendiar	3	inficionar	3	instalar	3
incensar	11	infiltrar	3	instar	3
incentivar	3	infirmar	3	instaurar	3
incidir	5	inflamar	3	instigar	72
incinerar	3	inflar	3	instilar	3
incitar	3	infligir	86	institucionalizar	73
incivilizar	73	influenciar	3	instituir	44
inclinar	3	influir	44	instruir	44

lacerar	3	lechucear	3	liudar	3
lacrar	3	leer	54	lividecer	35
lactar	3	legalizar	73	lixiviar	3
lachar	3	legar	72	loar	3
ladear	3	legiferar	3	lobear	3
ladrar	3	legislar	3	lobreguecer [unipers.]	35
ladrillar	3	legitimar	3	localizar	73
ladronear	3	legrar	3	lograr	3
lagartear	3	lengüetear	3	logrear	3
lagotear	3	lenificar	71	lombardear	3
lagrimar	3	lentecer	35	lomear	3
lagrimear	3	lentificar	71	loncotear	3
laicalizar	73	lerdear	3	lonjear	3
laicizar	73	lesear	3	loquear	3
lambarear	3	lesionar	3	losar	3
lambarerear	3	letificar	71	lotear	3
lamber	4	leudar	3	lotificar	71
lambetear	3	levantar	3	lozanear	3
lambisconear	3	levar	3	lubricar	71
lambisquear	3	levigar	72	lubrificar	71
lambucear	3	lexicalizar	73	lucir	38
lamentar	3	liar	75	lucrar	3
lamer	4	libar	3	lucubrar	3
laminar	3	libelar	3	luchar	3
lamiscar	71	liberalizar	73	ludiar	3
lampacear	3	liberar	3	ludir	5
lampar	3	libertar	3	luir	44
lampear	3	librar	3	lujuriar	3
lamprear	3	librear	3	lunarear	3
lancear	3	licenciar	3	lustrar	3
lancinar	3	licitar	3	luxar	3
lanchar	3	licuar	76		
languidecer	35	licuecer	35		
lanzar	73	licuefacer [part. irreg.]	33		
lañar	3	liderar	3	**ll**	
lapidar	3	lidiar	3		
lapidificar	71	ligar	72	llagar	72
laquear	3	lignificar	71	llamar	3
lardar	3	lijar	3	llamear	3
lardear	3	limar	3	llanear	3
largar	72	limitar	3	llantar	3
lascar	71	limosnear	3	llantear	3
lastimar	3	limpiar	3	llapar	3
lastrar	3	lincear	3	llegar	72
latear	3	linchar	3	llenar	3
lateralizar	73	lindar	3	lleudar	3
latiguear	3	linear	3	llevar	3
latinear	3	liofilizar	73	llorar	3
latinizar	73	liquidar	3	lloriquear	3
latir	5	liquidificar	71	llorisquear	3
laucar	71	iisiar	3	llover [unipers.]	25
laudar	3	lisonjar	3	lloviznar [unipers.]	3
laurear	3	lisonjear	3		
lavar	3	listar	3		
lavotear	3	listonar	3	**m**	
laxar	3	litar	3		
layar	3	litigar	72	macadamizar	73
lazar	73	litofotografiar	75	macanear	3
lechar	3	litografiar	75	macaquear	3
				macarse	71

medicamentar	3	migar	72	mollear	3
medicar	71	miguelear	3	molliznar [unipers.]	3
medicinar	3	militar	3	mollimear [unipers.]	3
medir	6	militarizar	73	momear	3
meditar	3	milonguear	3	momificar	71
medrar	3	milpear	3	mondar	3
mejicanizar	73	mimar	3	monear	3
mejorar	3	mimbrear	3	monedar	3
melancolizar	73	mimeografiar	75	monedear	3
melar	11	mimosear	3	monetizar	73
melcochar	3	minar	3	monologar	72
melgar	72	mineralizar	73	monopolizar	73
melificar	71	miniar	3	montar	3
melindrear	3	miniaturizar	73	montear	3
mellar	3	minimizar	73	moquear	3
memorar	3	ministrar	3	moquetear	3
memorizar	73	minorar	3	moquitear	3
mencionar	3	minusvalorar	3	moralizar	73
mendigar	72	minutar	3	morar	3
menear	3	mirar	3	morder	22
menequear	3	miserear	3	mordicar	71
menguar	77	misionar	3	mordiscar	71
menoscabar	3	mistar	3	mordisquear	3
menospreciar	3	mistificar	71	moretear	3
menstruar	76	misturar	3	morfinizar	73
mensurar	3	mitificar	71	morigerar	3
mentalizar	73	mitigar	72	morir [part. irreg.]	29
mentar	11	mitinear	3	morronguear	3
mentir	27	mitotear	3	mortificar	71
menudear	3	mitrar	3	moscardear	3
menuzar	73	mixtear	3	mosconear	3
merar	3	mixtificar	71	mosquear	3
mercadear	3	mixturar	3	mosquetear	3
mercantilizar	73	moblar	19	mostear	3
mercar	71	mocar	71	mostrar	19
mercedar	3	mocear	3	motear	3
mercerizar	73	mochar	3	motejar	3
mercurializar	73	modelar	3	motilar	3
merecer	35	moderar	3	motivar	3
merendar	11	modernizar	73	motorizar	73
merengar	72	modificar	71	mover	25
mermar	3	modorrar	3	movilizar	73
merodear	3	modular	3	muchachear	3
mesar	3	mofar	3	mudar	3
mestizar	73	mogollar	3	muestrear	3
mesurar	3	mohatrar	3	mugir	86
metaforizar	73	mohecer	35	multar	3
metalizar	73	mohosearse	3	multicopiar	3
metamorfosear	3	mojar	3	multiplicar	71
metatizar	73	mojonar	3	multiprogramar	3
meteorizar	73	molar	3	mullir	9
meter	4	moldar	3	mundanear	3
metodizar	73	moldear	3	mundear	3
metrallar	3	moldurar	3	mundializar	73
metrificar	71	moler	22	mundificar	71
mexicanizar	73	molestar	3	municionar	3
mezclar	3	molificar	71	municipalizar	73
mezquinar	3	molonquear	3	muñequear	3
microfilmar	3	molturar	3	muñir	9

157

reapretar	11	recauchutar	3	recovar	3
rearmar	3	recaudar	3	recrear	3
reasegurar	3	recavar	3	recrecer	35
reasumir	5	recebar	3	recriar	75
reatar	3	recechar	3	recriminar	3
reavivar	3	recejar	3	recristalizar	73
rebajar	3	recelar	3	recrudecer	35
rebalsar	3	recentar	11	recrujir	5
rebanar	3	recepcionar	3	recruzar	73
rebanear	3	receptar	3	rectificar	71
rebañar	3	recercar	71	rectorar	3
rebarrar	3	recesar	3	recuadrar	3
rebasar	3	recetar	3	recubrir [part. irreg.]	5
rebatir	5	recibir	5	recudir	5
rebautizar	73	reciclar	3	recular	3
rebelarse	3	recidivar	3	recuperar	3
rebenquear	3	recinchar	3	recurar	3
rebinar	3	reciprocar	71	recurrir	5
reblandecer	35	recitar	3	recusar	3
rebobinar	3	reclamar	3	rechazar	73
rebolear	3	reclinar	3	rechiflar	3
rebombar	3	recluir [dos part.]	44	rechinar	3
rebordear	3	reclutar	3	rechistar	3
reborujar	3	recobrar	3	redactar	3
rebosar	3	recocer	23	redar	3
rebotar	3	recochinearse	3	redargüir	44
rebozar	73	recodar	3	redecir	46
rebramar	3	recoger	84	redescontar	19
rebrillar	3	recolar	19	redhibir	5
rebrincar	71	recolectar	3	rediezmar	3
rebrotar	3	recolegir	67	redilar	3
rebudiar	3	recolocar	71	redilear	3
rebufar	3	recomendar	11	redimensionar	3
rebujar	3	recomerse	4	redimir	5
rebullir	9	recompensar	3	redistribuir	44
rebumbar	3	recomponer	16	redituar	76
reburujar	3	reconcentrar	3	redoblar	3
rebuscar	71	reconciliar	3	redoblegar	72
rebutir	5	reconcomerse	4	redondear	3
rebuznar	3	recondenar	3	redorar	3
recabar	3	reconducir	39	reducir	39
recachear	3	reconfirmar	3	redundar	3
recaer	50	reconfortar	3	reduplicar	71
recalar	3	reconocer	37	reedificar	71
recalcar	71	reconquistar	3	reeditar	3
recalcificar	71	reconsiderar	3	reeducar	71
recalcitrar	3	reconstituir	44	reelegir [dos part.]	67
recalentar	11	reconstruir	44	reembarcar	71
recalificar	71	recontar	19	reembolsar	3
recalzar	73	reconvalecer	35	reemitir	5
recamar	3	reconvenir	18	reemplazar	73
recambiar	3	reconvertir	27	reemprender	4
recapacitar	3	recopilar	3	reencarnar	3
recapitular	3	recordar	19	reencauchar	3
recargar	72	recorrer	4	reencauzar	73
recatar	3	recortar	3	reencontrar	19
recatear	3	recorvar	3	reenganchar	3
recatonear	3	recoser	4	reensayar	3
recauchar	3	recostar	19	reenviar	75

tabletear	3	techar	3	tijeretear	3
tabular	3	tediar	3	tildar	3
tacanear	3	tejar	3	tilinguear	3
tacañear	3	tejer	4	tilintear	3
tacar	71	telecinematografiar	75	timar	3
taconear	3	telecomponer	16	timbrar	3
tachar	3	telecomunicar	71	timonear	3
tachonar	3	teledetectar	3	timpanizarse	73
tafiletear	3	teledifundir	5	tincar	71
tajar	3	teledirigir	86	tindalizar	73
taladrar	3	telefilmar	3	tingar	72
talar	3	telefonear	3	tintar	3
talonear	3	telefotografiar	75	tinterillar	3
tallar	3	telegrafiar	75	tintinar	3
tallecer	35	teleguiar	75	tintinear	3
tamalear	3	telepatizar	73	tinturar	3
tambalear	3	teleprocesar	3	tipificar	71
tambar	3	telerradiografiar	75	tipografiar	75
tamborear	3	teletratar	3	tiramollar	3
tamborilear	3	televisar	3	tiranizar	73
tamizar	73	temar	3	tirar	3
tamponar	3	temblar	11	tiritar	3
tanguear	3	temblequear	3	tironear	3
tantear	3	tembletear	3	tirotear	3
tañer	7	temer	4	titear	3
tapar	3	tempanar	3	titilar	3
taperujarse	3	temperar	3	titilear	3
tapialar	3	tempestear	3	titiritar	3
tapiar	3	templar	3	titubear	3
tapirujarse	3	temporalear	6	titular	3
tapiscar	71	temporalizar	73	tiznar	3
tapizar	73	temporejar	3	tizonear	3
taponar	3	temporizar	73	toar	3
tapujarse	3	tenacear	3	tobar	3
taquear	3	tender	13	tocar	71
taquigrafiar	75	tener	15	tocolotear	3
taracear	3	tensar	3	toldar	3
tarar	3	tentalear	3	tolerar	3
tararear	3	tentar	11	tomar	3
tarascar	71	teñir [dos part.]	8	tonar [unipers.]	3
tardar	3	teologizar	73	tongonearse	3
tardecer [unipers.]	35	teorizar	73	tonificar	71
tarifar	3	tequiar	3	tonsurar	3
tarjar	3	terciar	3	tontear	3
tarjetearse	3	tergiversar	3	topar	3
tartajear	3	terminar	3	topear	3
tartalear	3	terraplenar	3	topetar	3
tartamudear	3	terrear	3	topetear	3
tartarizar	73	terrecer	35	toquetear	3
tasajear	3	tersar	3	torcer [dos part.]	23
tasar	3	tertuliar	3	torear	3
tascar	71	tesar	3	tornar	3
tasquear	3	testar	3	tornasolar	3
tatarear	3	testerear	3	tornear	3
tatuar	76	testificar	71	torpedear	3
tayar	3	testimoniar	3	torrar	3
taylorizar	73	tetanizar	73	torrear	3
tazar	73	tetar	3	torrefactar [dos part.]	3
teclear	3	tibiar	3	tortolear	3

triseccionar	3	ultrajar	3	varar	3
triturar	3	ultralimitar	3	varear	3
triunfar	3	ultrapasar	3	varetear	3
trizar	73	ulular	3	variar	75
trocar	60	umbralar	3	varillar	3
trocear	3	uncir	85	varraquear	3
trociscar	71	undular	3	vaticinar	3
trochar	3	ungir	86	vedar	3
trompar	3	unificar	71	vegetar	3
trompear	3	uniformar	3	vejar	3
trompetear	3	uniformizar	73	velar	3
trompicar	71	unir	5	velarizar	73
trompillar	3	universalizar	73	velejar	3
tronar [unipers.]	19	univocarse	71	vencer	83
troncar	71	untar	3	vendar	3
tronchar	3	uñir	9	vender	4
tronerar	3	urbanizar	73	vendimiar	3
tronzar	73	urdir	5	venerar	3
tropear	3	urgir	86	vengar	72
tropezar	64	usar	3	venir	18
troquelar	3	usucapir [defect.]	5	ventanear	3
trotar	3	usufructuar	76	ventar [unipers.]	11
trotear	3	usurar	3	ventear [unipers.]	3
trotinar	3	usurear	3	ventilar	3
trovar	3	usurpar	3	ventiscar [unipers.]	71
trozar	73	utilizar	73	ventisquear [unipers.]	3
trucar	71	uzear	3	ventosear	3
trufar	3			ver	55
truhanear	3			veranear	3
trujamanear	3			verbenear	3
truncar	71	**v**		verberar	3
tuberculizar	73			verdear	3
tugar	72	vacar	71	verdecer	35
tullecer	35	vaciar	75	verdeguear	3
tullir	9	vacilar	3	verificar	71
tumbar	3	vacunar	3	verilear	3
tumefacer [part. irreg.]	33	vadear	3	veroniquear	3
tumultuar	76	vagabundear	3	verraquear	3
tunantear	3	vagamundear	3	versar	3
tunar	3	vagar	72	versificar	71
tundear	3	vaguear	3	vertebrar	3
tundir	5	vahar	3	verter	13
tunear	3	vahear	3	vestir	6
tupir	5	valer	43	vetar	3
turbar	3	validar	3	vetear	3
turnar	3	valonar	3	vezar	73
turrar	3	valorar	3	viajar	3
tusar	3	valorizar	73	viaticar	71
tutear	3	valsar	3	viborear	3
tutelar	3	valuar	76	vibrar	3
		vallar	3	viciar	3
		vanagloriarse	3	victimar	3
		vanarse	3	victorear	3
u		vaporar	3	vichar	3
		vaporear	3	vichear	3
ubicar	71	vaporizar	73	vidriar	3
ufanarse	3	vapular	3	vigiar	75
ulcerar	3	vapulear	3	vigilar	3
ulpear	3	vaquear	3	vigorar	3
ultimar	3	vaquerear	3		

x

y

z

APÉNDICES

I Lista de verbos defectivos

USO

ABARSE
formas no personales.
imperativo : 2ª pers. sing. y pl.

ABOLIR
formas no personales.
indicativo : todos los tiempos simples y compuestos, pero del presente sólo las 1ª y 2ª pers. pl.
subjuntivo : pret. imperf., pret. pluscuamp., futuro y futuro perfecto.
imperativo : sólo la 2ª pers. pl.

ACAECER
formas no personales y las 3ª pers. sing. y pl. de cada uno de los tiempos.

ACONTECER
formas no personales y las 3ª pers. sing. y pl. de cada uno de los tiempos.

ADIR
sólo las formas no personales.

AGREDIR
igual que *abolir.*

AGUERRIR
igual que *abolir.*

APLACER
formas no personales y las 3ª pers. sing. y pl. del presente y del pret. imperf. de indicativo.

ARRECIRSE
igual que *abolir.*

ATAÑER
formas no personales y las 3ª pers. sing. y pl. de cada uno de los tiempos

ATERIRSE
igual que *abolir.*

BALBUCIR
no se usa en la 1ª pers. sing. del presente de indicativo ni en el presente de subjuntivo.

BLANDIR
igual que *abolir.*

COLORIR
igual que *abolir.*

CONCERNIR
formas no personales.
indicativo : 3ª pers. sing. y pl. del presente y del pret. imperf.
subjuntivo : 3ª pers. sing. y pl. del presente.

DENEGRIR
sólo en las formas no personales.

DESCOLORIR
sólo el participio y el infinitivo.

DESGUARNIR
igual que *abolir.*

DESPAVORIR
igual que *abolir.*

EMBAÍR
igual que *abolir,* pero se conjuga como indicado en el cuadro 69.

EMPEDERNIR
igual que *abolir.*

GARANTIR
igual que *abolir.* (En América no es defectivo.)

GUARNIR	igual que *abolir*.
INCOAR	lo mismo que *abolir*, pero se conjuga como *amar*.
INCUMBIR	formas no personales y las 3ª pers. sing. y pl. de cada uno de los tiempos.
MANIR	igual que *abolir*.
POLIR	igual que *abolir*.
PRETERIR	igual que *abolir*; formas no personales.
SOLER	indicativo : presente, pret. imperf., pret. perf. simple y compuesto. subjuntivo : presente.
TRANSGREDIR	igual que *abolir*.
USUCAPIR	sólo en las formas no personales.

II Lista de verbos unipersonales

ALBOREAR	DESCAMPAR	OBSCURECER
AMANECER	DESHELAR	ORVALLAR
ANOCHECER	DILUVIAR	OSCURECER
ATARDECER	ESCAMPAR	RELAMPAGUEAR
ATENEBRARSE	ESCARCHAR	RETRONAR
ATRONAR	GARUAR	RIELAR
CELLISQUEAR	GRANIZAR	RUTILAR
CENTELLAR	HELAR	TARDECER
CENTELLEAR	LOBREGUECER	TEMPESTEAR
CLAREAR	LLOVER	TONAR
CLARECER	LLOVIZNAR	TRONAR
CORUSCAR	MOLLIZNAR	VENTAR
CHAPARREAR	MOLLIZNEAR	VENTEAR
CHISPEAR	NEVAR	VENTISCAR
CHUBASQUEAR	NEVISCAR	VENTISQUEAR

III Verbos regulares con un participio irregular

En la lista general de verbos que precede se han señalado algunos verbos que coinciden con el modelo de conjugación regular, pero con la excepción del participio. He aquí la lista de estos verbos :

ABRIR	abierto	MANUSCRIBIR	manuscrito
ADSCRIBIR	adscrito	PRESCRIBIR	prescrito
CUBRIR	cubierto	PROSCRIBIR	proscrito
DESCRIBIR	descrito	REABRIR	reabierto
DESCUBRIR	descubierto	RECUBRIR	recubierto
ENCUBRIR	encubierto	RESCRIBIR	rescrito
ENTREABRIR	entreabierto	ROMPER	roto
ESCRIBIR	escrito	SUSCRIBIR	suscrito
INSCRIBIR	inscrito	TRANSCRIBIR	transcrito

En algunos países de la América de lengua española se conserva aún la *p* arcaica de determinados participios (*adscripto, prescripto, proscripto, sus- cripto,* etc.).

Cabe señalar además que la irregularidad de ciertos verbos se ve también reflejada en los participios de éstos :

ABSOLVER	absuelto	PUDRIR	podrido
DECIR	dicho	RAREFACER	rarefacto
DISOLVER	disuelto	RESOLVER	resuelto
HACER	hecho	SATISFACER	satisfecho
LICUEFACER	licuefacto	TUMEFACER	tumefacto
MORIR	muerto	VER	visto
PONER	puesto	VOLVER	vuelto

Iguales características tienen los derivados correspondientes (*anteponer, contradecir, desenvolver, deshacer, devolver, disponer, entrever, envolver, exponer, imponer, oponer, posponer, prever, proponer, rehacer, reponer, revolver, superponer, suponer, yuxtaponer,* etc.), con la excepción de *bendecir* y *maldecir,* que pertenecen al grupo de verbos con dos participios cuya lista va a continuación.

IV Verbos con dos participios

Una serie de verbos castellanos se caracteriza por tener dos participios, uno regular y otro irregular, este último tomado del latín de modo más directo. No obstante, para la formación de los tiempos compuestos se utilizan general-mente los regulares (con las excepciones de *frito, impreso* y *provisto*), quedando los irregulares en función adjetiva. Por ejemplo, *el profesor no ha* CORREGIDO, *todavía los ejercicios,* pero *el ejercicio resulta* CORRECTO.

Los principales verbos con dos participios son los siguientes :

	regular	*irregular*
ABSORBER	absorbido	absorto
ABSTRAER	abstraído	abstracto
AFLIGIR	afligido	aflicto
AHITAR	ahitado	ahíto
ATENDER	atendido	atento
BENDECIR	bendecido	bendito
BIENQUERER	bienquerido	bienquisto
CIRCUNCIDAR	circuncidado	circunciso
COMPELER	compelido	compulso
COMPRIMIR	comprimido	compreso
CONCLUIR	concluido	concluso
CONFESAR	confesado	confeso
CONFUNDIR	confundido	confuso
CONSUMIR	consumido	consunto
CONTUNDIR	contundido	contuso
CONVENCER	convencido	convicto
CONVERTIR	convertido	converso
CORREGIR	corregido	correcto
CORROMPER	corrompido	corrupto
DESPERTAR	despertado	despierto

DESPROVEER	desproveído	desprovisto
DIFUNDIR	difundido	difuso
DIVIDIR	dividido	diviso
ELEGIR	elegido	electo
ENJUGAR	enjugado	enjuto
EXCLUIR	excluido	excluso
EXIMIR	eximido	exento
EXPELER	expelido	expulso
EXPRESAR	expresado	expreso
EXTENDER	extendido	extenso
EXTINGUIR	extinguido	extinto
FIJAR	fijado	fijo
FREÍR	freído	frito
HARTAR	hartado	harto
IMPRIMIR	imprimido (p. us.)	impreso
INCLUIR	incluido	incluso
INCURRIR	incurrido	incurso
INFUNDIR	infundido	infuso
INJERTAR	injertado	injerto
INSERTAR	insertado	inserto
INVERTIR	invertido	inverso
JUNTAR	juntado	junto
MALDECIR	maldecido	maldito
MALQUERER	malquerido	malquisto
MANIFESTAR	manifestado	manifiesto
MANUMITIR	manumitido	manumiso
NACER	nacido	nato
OPRIMIR	oprimido	opreso
POSEER	poseído	poseso
PRENDER	prendido	preso
PRESUMIR	presumido	presunto
PRETENDER	pretendido	pretenso
PROPENDER	propendido	propenso
PROVEER	proveído	provisto
RECLUIR	recluido	recluso
RETORCER	retorcido	retuerto
SALPRESAR	salpresado	salpreso
SALVAR	salvado	salvo
SEPELIR	sepelido	sepulto
SEPULTAR	sepultado	sepulto
SOFREÍR	sofreído	sofrito
SOLTAR	soltado	suelto
SUBSTITUIR	substituido	substituto
SUJETAR	sujetado	sujeto
SUSPENDER	suspendido	suspenso
SUSTITUIR	sustituido	sustituto
TEÑIR	teñido	tinto
TORCER	torcido	tuerto
TORREFACTAR	torrefactado	torrefacto

V Consideraciones acerca del tratamiento

En el párrafo 4 del apartado *Conjugación* se han señalado las tres personas gramaticales, tanto del singular como del plural, con el empleo de cada una de ellas. No obstante, cabe advertir que en la práctica se producen unos fenómenos de cambio y sustitución de aquéllas. Así, por ejemplo, cuando un profesor inicia la clase con la conocida frase *decíamos ayer,* está usando el verbo en plural, cuando en estricta lógica debería hacerlo en singular *(yo decía ayer).* Esta forma también la utilizan a veces oradores y escritores al querer expresarse con cierta modestia *(deseamos darles un consejo que nos ha dictado nuestra propia experiencia).* Del mismo modo, cuando nos dirigimos a alguien debemos emplear la segunda persona del singular y, sin embargo, lo hacemos en algunos casos con la primera persona del plural : *¡Buenos días, querido amigo, cuánto madrugamos!,* que equivale a *¡Buenos días, querido amigo, cuánto madrugas!*

Existen mayores alteraciones en la conjugación a causa del *tratamiento,* es decir, la manera especial de dirigirse a personas a las que se debe respeto, acatamiento o reverencia.

Tuteo

El *tuteo,* manera familiar de tratarse dos o varias personas, consiste en el uso del pronombre *tú* en la 2ª pers. del sing. y de *vosotros (-as)* en la 2ª pers. del pl., con la desinencia verbal correspondiente. El esquema que sigue, ilustrado con cortos ejemplos, dará una idea más clara de lo que queremos expresar :

	NOMINATIVO	DATIVO Y ACUSATIVO	CASO PREPOSICIONAL
SINGULAR	*tú* amas	*te* amo	voy *contigo ;* estoy contra *ti*
PLURAL	*vosotros* *(-as)* amáis	*os* amo	voy con *vosotros (-as) ;* estoy contra *vosotros (-as)*

Este esquema existe en España desde los orígenes del castellano hasta nuestros días, con algunas variantes en zonas muy localizadas. Así, el nominativo plural *(vosotros, -as)* se convierte en *ustedes* en el habla de extensas partes de Andalucía y América *(ustedes tenéis la culpa).* Una solución intermedia, que pretende atenuar la connotación algo popular de esto, consiste en el empleo de la 3ª persona verbal, uso que es también frecuente en Canarias *(ustedes tienen la culpa).* En esas áreas, ha desaparecido prácticamente, por tanto, el uso de los pronombres de 2ª persona del plural *(vosotros, -as).*

No pueden darse reglas muy estrictas acerca del uso del tuteo, ya que esto depende de muy variadas circunstancias sociales, geográficas, de costumbre, etc. Cabe señalar, no obstante, que es la manera habitual de hablar con familiares y amigos, entre la gente joven o entre aquellos que tienen la misma profesión, siempre que la diferencia de edad entre estos últimos no sea excesiva. Para dirigirse a una persona que se tutea, lo normal es hacerlo por su nombre de pila, aunque también, y con un grado menor de intimidad, puede hacerse con el apellido. Las áreas urbanas son más propensas al uso del tuteo que las rurales, y dentro de ellas las clases altas y medias altas son más permeables a la clara tendencia moderna de restringir cada vez más el uso del *usted* en beneficio del *tú*. Además de los casos citados, el tuteo se emplea en la lengua literaria cuando se refiere uno a entes irreales, a los espíritus, a Dios y a los santos, a las divinidades gentiles, a las cosas presentes o ausentes en la invocación *(¡España, tus costumbres ancestrales y tu respeto al honor!).* También se suele utilizar el *tú* en expresiones de enojo o en frases pronunciadas para echar maldiciones *(¡tú, mi supuesto protector, degenerado bastardo de un padre abyecto!).*

Tratamiento de respeto con *usted*

El moderno tratamiento de respeto consiste en la utilización del pronombre personal *usted (-es)* para ambos géneros junto a la tercera persona verbal. En el siguiente cuadro se sintetiza su uso, sin que falten ejemplos para que el lector pueda captar sin dificultad´el funcionamiento.

	NOMINATIVO	DATIVO	ACUSATIVO	CASO PREPOSICIONAL
SINGULAR	*usted* ama	*le* digo ; *se* lo digo	*lo (le)* amo *la* amo	voy con *usted*
PLURAL	*ustedes* aman	*les* digo ; *se* lo digo	*los (les)* amo *las* amo	voy con *ustedes*

El origen del tratamiento de *usted* hay que buscarlo hacia el siglo XVI, cuando la primitiva fórmula, *vos,* para un solo destinatario y verbo en 2ª del plural, empezó a sustituirse poco a poco por el tratamiento de *vuestra merced* con el verbo en 3ª persona. De este modo se aludía de una manera indirecta al destinatario del discurso, lo que obligaba a ese desplazamiento verbal *(vuestra merced* TIENE *la palabra).* Este tratamiento alcanzó tal difusión que pronto *vos* se convirtió en una fórmula no respetuosa que desapareció del habla de España, aunque se mantuvo en algunas zonas del continente americano donde hoy perdura y convive con el *tú.* Este fenómeno se conoce con el nombre de *voseo* y lo estudiaremos más adelante.

La frecuencia de uso redujo el *vuestra merced* a *usted* y este tratamiento se aplicó a los que carecían de títulos nobiliarios, cargos o preeminencias. En la actualidad esta fórmula es fundamental en la vida de relación española, a pesar de que su empleo sea menos frecuente en los últimos tiempos, tal como hemos explicado anteriormente. En ciertos casos se ha impuesto incluso al tuteo que antes era de rigor, como por ejemplo cuando nos dirigimos al personal doméstico o a los que realizan algunos trabajos manuales (peluqueros, camareros, limpiabotas, etc.).

El tratamiento de *usted* lleva consigo el uso del nombre de pila (precedido o no del *Don,* según el grado de respeto) o el del apellido, generalmente anteponiendo la palabra *Señor.* Todo esto está lleno de matices que, por otro lado, no suelen escapar al hablante. En líneas generales, en España está más extendido el uso del *Don* con el nombre de pila, aunque la tendencia actual parece que es de retroceso, mientras que en América predomina la fórmula *Señor + apellido.*

Otros tratamientos

Además del *tú* y el *usted*, existe toda una serie de tratamientos que desbordan los límites de este libro. Entre los más conocidos podemos señalar los de *Majestad* para un soberano, *Alteza Real* para un príncipe o princesa de sangre, *Santidad* para el Papa, *Eminencia* para un cardenal, *Excelencia* para los jefes de Estado, presidentes de la República, ministros, gobernadores, embajadores, etc., con variantes según los países. Estas fórmulas deben ir seguidas de la 3ª persona verbal. La referencia gramatical a la 2ª persona la realiza el pronombre posesivo que completa siempre al sustantivo abstracto *(Vuestra Majestad, Vuestra Excelencia)*. Cabe señalar, sin embargo, que se puede utilizar asimismo el adjetivo posesivo de tercera persona *(Su Majestad, Su Excelencia)* y que el antiguo tratamiento con *vos* seguido del verbo en la 2ª persona del plural es también usual.

Veamos unos cuantos ejemplos del tratamiento que, según el protocolo vigente, hay que aplicar a la persona del Rey : *me presento ante* VUESTRA MAJESTAD *para* TESTIMONIAROS *mi adhesión ; esta Constitución,* SEÑOR, *es la gran obra de* VUESTRO *reinado ;* VOS ENCARNÁIS *la primera magistratura del Estado.*

Voseo

El *voseo*, término que se aplica al empleo de *vos* para un solo destinatario, era una antigua fórmula que se utilizaba al dirigirse a personas merecedoras de gran respeto para diferenciarlas en el tratamiento de las consideradas como inferiores o con las cuales se tenía mucha confianza. Este uso fue sustituido bastante tiempo después del Siglo de Oro, en la lengua escrita y hablada, por el de *usted,* contracción de *vuestra merced,* como se ha visto anteriormente. El *vos* adquirió de este modo, en España y en varias partes de América, un sabor arcaico, aunque se conservó para invocar a Dios o a los santos. Si bien se juzga como familiar, el *voseo* continúa existiendo en los territorios de la Argentina y en ciertas áreas de Centroamérica, con algunas variantes entre sí. Esta forma pronominal es desconocida en México, Cuba, Puerto Rico, Colombia, Venezuela, Bolivia, Ecuador, Chile, Panamá, Perú y Santo Domingo. En Uruguay se alterna el uso de *vos* y de *tú.*

Las formas verbales asociadas a *vos* para un solo destinatario son, para el presente y el pretérito perfecto simple de indicativo, plurales sin diptongar como *sabés, cantás, tenés, matastes* (sabéis, cantáis, tenéis, matasteis). Los imperativos son de la forma *decí, llegá, tené* (decid, llegad, tened). En los imperfectos de indicativo y subjuntivo se emplean los singulares *(sabías, supieras),* mientras que en los demás tiempos existe vacilación entre el singular y el plural. Los posesivos y pronombres personales utilizados son los de 2ª persona del singular *(tu, tuyo, tuyos ; te),* excepto en los casos nominativo y preposicional *(vos),* como se observa en el ejemplo *vos cantás tu canción preferida.*

Existe una relación evidente entre el uso del *voseo* y la mayor o menor influencia española durante el período colonial. Así, el uso peninsular se ha mantenido en las antiguas cortes virreinales, como Perú y México, y también en territorios donde el dominio fue más intenso, como Cuba, Puerto Rico y Santo Domingo. En cualquier caso, allí donde el *voseo* tiene vigencia, hay que señalar su perfecta convivencia con las fórmulas españolas de tratamiento, lo que se debe, sin duda, al mayor prestigio literario del *tú* y a la crítica de aquella forma dialectal que han llevado a cabo prestigiosos gramáticos y escritores americanos.

Esta obra se terminó de imprimir en septiembre
de 1988 en Offset Rebosán, S.A., Zacahuitzco
No. 40, Col. Portales. México, D.F.

La encuadernación de esta obra fue elaborada en
Encuadernación RAF, S.A. Ermita Iztapalapa
núm. 2095. México, D.F.

La edición consta de 10 000 ejemplares